Cardinal

Mujeres de negro

Josefina R. Aldecoa

Mujeres de negro

EDITORIAL ANAGRAMA

BARCELONA

Diseño de la colección:
Julio Vivas
Ilustración: «Interior con mujer de pie, Strandgade, 30»,
   Vilhelm Hammershøi, 1905 (?), colección particular

Primera edición: mayo 1994
Segunda edición: junio 1994
Tercera edición: octubre 1994
Cuarta edición: abril 1995
Quinta edición: octubre 1997
Sexta edición: mayo 1998
Séptima edición: junio 2000

© EDITORIAL ANAGRAMA, S.A., 1994
   Pedró de la Creu, 58
   08034 Barcelona

ISBN: 84-339-0970-3
Depósito Legal: B. 25204-2000

Printed in Spain

Liberduplex, S.L., Constitució, 19, 08014 Barcelona

I. Los vencidos

Los primeros disparos atravesaron el mirador de lado a lado. Fue un solo tiro limpio que abrió un agujero redondo en uno de los cristales laterales y salió por el otro dejando el mismo hueco: un vacío circular rematado por grietas diminutas.

La abuela dijo: «Si hubiera estado alguien asomado, le atraviesa.» Pero no estaba nadie. Nadie se atrevía a correr ese riesgo porque se decía que había tropas patrullando por la calle y al menor movimiento tras las ventanas disparaban al aire para asustar. En algunos casos no tan al aire, como demostró durante mucho tiempo el doble agujero de nuestro mirador. Todo esto ocurría en los primeros días de la guerra civil, recién llegadas a la ciudad y a aquel piso cercano a la avenida donde nos habíamos instalado después de enterrar a mi padre. El piso era espacioso y tenía hasta cuarto de baño. «Un lujo», le oí decir a mi madre. «Y tan barato», dijo la abuela.

«Lujo» y «barato» eran dos palabras que yo no podía entender pero que me sonaban ya a contrapuestas y por tanto era extraño que surgieran unidas para explicar la misma situación.

Eloísa les da ayuda

Sin embargo no era tan raro porque el piso era una especie de regalo que nos había proporcionado la única persona de nuestro entorno que tenía algo que dar: Eloísa, la hija de don Germán, el alcalde republicano de Los Valles que había muerto fusilado al lado de mi padre el 18 de julio de 1936.

Eloísa había dicho: «Gabriela, vete de aquí, instálate con la niña en la capital. Allí te será más fácil ganarte la vida...» Y luego vino el ofrecimiento de aquel piso vacío, parte de una herencia familiar, y la cantidad que mi madre le obligó a asignarnos como alquiler. La cantidad era pequeña porque mi madre no sólo había perdido a su marido en el pueblo minero donde los dos eran maestros, sino que esperaba de un momento a otro que le comunicaran su propio cese en la escuela. Cuando terminamos de colocar los pocos muebles traídos de Los Valles, los escasos utensilios de cocina, la ropa imprescindible, mi madre y la abuela se sentaron frente a frente y se pusieron a hablar.

«Soy maestra», dijo mi madre, «y seguiré enseñando donde pueda.» También en el trabajo nos tendió su mano amiga Eloísa. Envió cartas a mi madre para personas que podían ayudarla y pronto obtuvo respuestas: un niño enfermo que no podía asistir ese curso al colegio de los agustinos; una chica que quería entrar en una oficina y otras dos que estudiaban en la Escuela de Comercio. Ésos eran los de la tarde. Por la mañana logró reunir un grupo pequeño, cinco niños de cinco a seis años, contándome a mí, a los que daba clases completas, igual que en una escuela. Mientras tanto, fuera de nuestra casa había una guerra. Yo sabía que

10

Gabriela da las clases en casa

era una guerra entre españoles. Nosotros vivíamos en la zona enemiga, la zona de los rebeldes sublevados contra el gobierno de la República.

La radio presidía la cocina, lo mismo que en Los Valles, y nos daba noticias que los mayores escuchaban con preocupación: frentes, batallas, derrotas, muertes. Por el día la vida transcurría con normalidad. La gente entraba, salía, trabajaba, paseaba, compraba y vendía. De noche, con el silencio, llegaba el miedo. «Bombardean de noche», se decía. A veces sonaban las sirenas. Corríamos todos escaleras abajo hasta alcanzar el refugio del sótano, donde teníamos mantas y colchones, los niños excitados con la aventura, los mayores en silencio.

Pero había otro miedo, un miedo soterrado que hacía susurrar: «Si llaman de noche, no abráis. Vienen de noche, los sacan de noche.» El miedo, profundo o a flor de piel, gravitaba sobre nuestras vidas. Estaba ahí en forma de un suceso inesperado que podía sobrevenir en cualquier momento.

Encima de nuestro piso vivía una familia de comerciantes: el marido, la mujer y tres hijas. La más pequeña, Olvido, tenía nueve años y me tomó bajo su protección. Solíamos jugar en la plaza cercana a casa y a veces, cuando hacía buen tiempo, emprendíamos breves excursiones por las calles de la ciudad. Olvido hablaba y muchas veces yo no la seguía absorta en mis propios descubrimientos. Un jardín encerrado que se veía al fondo de un portal entreabierto. Un convento con ventanas altas protegidas por celosías. Llegábamos a la catedral y yo me quedaba mirando las torres finísimas y el baile parsimonioso de las cigüeñas que volaban de una punta a otra. Olvido decía: «¿Entramos?» A veces sonaba el órgano y las voces llenaban los espacios vacíos.

El piso en que vivíamos tenía dos dormitorios y un salón con mirador. La vida familiar se hacía en la cocina, de modo que mi madre destinó la habitación del mirador, la más grande y luminosa, para dar las clases. Sólo tenía una mesa y seis sillas, pero poco a poco aquello empezó a adquirir una atmósfera de escuela. Clavó en la pared un mapa y un encerado pequeño. Dos cajones forrados de papel servían de estanterías. Allí colocó los libros que más usaba: la *Aritmética razonada, Platero y yo, Poesía infantil recitable, Países y mundos,* los restos de su naufragio.

Cuando la clase empezaba y los niños la rodeábamos, mi madre empezaba a hablar y el torrente de sus palabras se extendía ante nosotros como un gran tapiz.

Los padres de Olvido conocían a mucha gente. Siempre tenían amigos y parientes en su casa, que también estaba abierta a las amigas de sus hijas. A mí me gustaba subir allí y observar y escuchar a las hermanas de Olvido, que hablaban ya de novios y de amores y de aventuras más bien inocentes. Andaban todas revueltas con un desconocido, «el viudo» le llamaban, que circulaba por las calles con un descapotable rojo y una niñita a su lado. «¿Como yo?», pregunté. «Sí», me decían, «como tú, o puede que sea un poco más pequeña que tú.» El viudo era un personaje misterioso. Nadie sabía de dónde había salido, qué hacía en la ciudad ni dónde vivía. Al menos no lo sabían las hermanas de Olvido, que eran nuestra fuente de información. Un día, saltábamos a la comba en la plaza cuando Olvido me dio un pellizco y me dijo en voz baja: «Mira, el viudo.» Yo vi un coche rojo que pasaba a bastante velocidad. Dentro iba un hombre moreno, vestido de negro, con bigote y gafas oscuras y a su lado una niña con un vestido blanco y un lazo enorme en la cabeza. «¿A que es muy guapo?», dijo Olvido. «Sí», contesté por decir algo. «Es guapo, guapo», repetía Olvido. «Se parece a Clark Gable.» Yo me quedé suspensa y Olvido se dio cuenta de mi ignorancia: «¿No sabes quién es Clark Gable? ¿No has visto *Mares de China*?» Yo no había visto nada porque las dos únicas veces que la abuela me había llevado al cine fue a los agustinos a las cuatro, donde daban programas infantiles de monstruos y aventuras del gordo y el flaco, de mucha risa. Olvido parecía mayor de lo que era porque sus hermanas la espabilaban mucho. «Demasiado», opinaba mi abuela, «no veo por qué tienen que contar a las pequeñas tantas tonterías como ellas tienen en la cabeza.»

Yo empezaba a refugiarme en mis fantasías y me imaginaba un encuentro entre mi madre y el viudo y un enamoramiento rápido y los cuatro yéndonos por el mundo en el descapotable, ellos delante y la niña y yo detrás, yo de hermana mayor, cuidándola y mimándola y jugando con ella. Ya por entonces echaba yo de menos la presencia en nuestra casa de otros niños y sobre todo de un hombre, un padre, un protector. A mi padre apenas lo recordaba y mi madre me hablaba poco de él. Acudí a la abuela y ella tampoco fue muy explícita: «Tu padre era un hombre bueno y noble, por eso lo mataron.» La muerte de mi padre era la causa de una congoja que yo percibía flotando entre nosotras permanentemente. Seguro que eso explicaba la tristeza y la lejanía de mi madre. También debía de ser el motivo que nos obligaba a vivir en el aislamiento, sin amigos, sin diversiones, sólo el trabajo en torno al cual giraba nuestra existencia. Las clases, los niños que llegaban y se iban, y por la noche la radio para tener noticias de cómo iba la guerra. Aquellas noticias variaban el humor de mi madre. Unos días se sentía optimista, «Ganaremos», decía. «Y además nos van a ayudar.» «¿Quiénes?», preguntaba yo. Y ella contestaba: «Los franceses y los ingleses, los amigos de la República.» Otros días las noticias eran malas y mi madre perdía su seguridad en la victoria republicana. Le oía comentar con la abuela: «Esto no tiene solución. ¿Qué va a ser de nosotras? Nunca volveré a la escuela.» Porque había alentado la esperanza de que la República restablecería el orden y ella regresaría a un pueblo, a una escuela.

Lo que estaba claro es que nunca volveríamos a Los Valles. Mi madre no quería ni oír hablar de ello. Un día, eso fue al principio de vivir en la ciudad, debió de llegar la noticia oficial de su separación de la enseñanza. A mí no me dijeron nada pero las oí hablar a las dos

14

dando por hecho que las cosas estaban definitivamente establecidas. La abuela resumió la situación diciendo: «Si tu padre levantara la cabeza...» Se lo decía a mi madre y se refería al abuelo. Yo no recordaba al abuelo. En realidad me resulta difícil separar lo recordado de lo imaginado. Confundo las fechas en la nebulosa de la infancia. Y así, quizás evoco instantes que viví demasiado niña y niego haber presenciado hechos de los que fui testigo con edad suficiente para dar testimonio de ellos. Al morirse el abuelo, poco antes de empezar la guerra, la abuela se había quedado sola y mi madre quiso que viviera con nosotras. Pero los veranos los pasábamos en el pueblo de la abuela, el pueblo en que mi madre había nacido y donde conservábamos la casa familiar. A mí me gustaba esa casa. Tenía una hermosa huerta alrededor, un emparrado cubriendo una de las fachadas, un riachuelo que atravesaba una pradera. La casa era grande y fresca. Olía a frutas y a cera. Las contraventanas siempre estaban entornadas y la luz se filtraba por las rendijas resaltando el encanto de los objetos. La sala no se usaba casi nunca. Pero me gustaba asomarme, contemplar los retratos y las figuras de porcelana sobre la mesa, los fruteros en el aparador, los sillones con cojines bordados por la abuela.

Por la mañana mi madre me hacía leer y escribir y hacer alguna cuenta sencilla. A la tarde me dejaba libre para ir al río a pescar cangrejos y a bañarme o de excursión a los montes cercanos con niñas que eran hijas de sus amigas. Allí se notaba menos la guerra. O al menos eso me parecía a mí. No obstante, sorprendía a veces a mi madre y a la abuela hablando agitadamente y, aunque no me explicaban qué ocurría, acababa atando cabos mediante la información que me daban mis amigas. Habían detenido a un hombre de aquellos pueblos o había muerto en el frente un chico hermano o hijo de algún conocido.

Mis amigas iban a misa todos los domingos. Yo no me atrevía a plantear en casa mi deseo de acompañarlas porque sabía que nuestra familia no tomaba parte en actos religiosos. Un día de Santiago había misa mayor con música y todo. La tentación fue tan fuerte que me armé de valor y pregunté a mi madre: «¿Puedo ir a misa con mis amigas?» Ella me miró como si estuviera ausente o regresara de un lugar muy lejano. Tardó unos momentos en reaccionar y al fin contestó: «Haz lo que quieras.» Pero no lo dijo enfadada ni como un reproche, sino como si de verdad no le importara.

Fui a la iglesia y en un momento dado mi compañera de banco, la que tenía más cerca, me dijo: «Ahora puedes pedir lo que quieras.» Todos estaban en silencio. Seguramente tenían muy pensado lo que iban a pedir. Me puse nerviosa y formulé entre dientes lo primero que se me ocurrió y que, sin yo saberlo, expresaba mi deseo más fuerte. «Pido que tengamos dinero para que mi madre no se preocupe tanto. Cuando acabe la guerra...», añadí.

Aquel año, al regresar a la ciudad en septiembre, mi madre perdió una de sus clases de la tarde, la que daba al niño enfermo. Cuando se presentó en la casa el día que debía reanudar su trabajo, salió a recibirla el padre y le dijo: «Mire usted, Gabriela. Lo siento mucho pero no podemos continuar así. Usted es buena maestra pero tiene un defecto para nosotros, que mezcla la política con la enseñanza y que, además, hace mofa de la religión delante del niño.» Mi madre se quedó anonadada. Por mucho que pensara, le dijo a la abuela, no podía recordar en qué momento había cometido los errores que le achacaban. «No te preocupes», le dijo la abuela. «Con su mente estrecha interpretan como quieren cualquier comentario que hayas hecho delante del niño. No olvides que ellos saben quién eres y cómo piensas.» Este incidente nos entristeció. Estábamos viviendo una guerra y esta guerra no sólo se desarrollaba en los frentes sino también en los corazones y en las cabezas de las personas de la retaguardia. La presencia de dos bandos se dibujaba nítidamente sobre el fondo sombrío de una situación cuyo final nadie se atrevía a pronosticar.

«He conocido al viudo», me dijo alborozada Olvido, poco antes de empezar el curso. «Lo he conocido cuando estaba yo comprando los cuadernos para el instituto; en eso que entró él y dijo a la dependienta: "Dígame, para esta niña ¿qué cuentos tienen? Con muchos dibujos, claro, porque todavía no sabe leer..." La dependienta, que es medio tonta, no sabía qué ofrecerle y allí intervine yo y le dije: "Mire, éste y éste le van a gustar, que los tengo yo en casa de cuando era pequeña..." Él se quedó muy agradecido y muy encantado y me dijo: "Gracias señorita", fíjate señorita a mí, "me ha ayudado usted mucho." Yo me puse colorada y le dije adiós y salí corriendo; no sabes cómo me latía el corazón... Yo creo que si le veo en algún sitio me reconocerá y me hablará, ya lo verás.»

Es extraño vivir una guerra. Aunque el campo de batalla no esté encima y no se sufran las consecuencias inmediatas todo lo que ocurre a nuestro alrededor viene determinado por la existencia de esa guerra. Nos llegaban noticias del hambre que se pasaba en la zona republicana y nosotros no teníamos escasez de comida. Sin embargo no había telas ni zapatos ni otros productos manufacturados de primera necesidad. «Claro, ellos tienen las fábricas, nosotros la agricultura», decía la gente. Se teñía la ropa, se daba la vuelta a los abrigos, se remendaba, se cosía, se deshacían prendas viejas para convertirlas en nuevas. Y todo quedaba aplazado hasta que terminara la guerra. «Cuando acabe la guerra», se convirtió en una frase clave de mi infancia. Cuando acabe la guerra iremos, volveremos, compraremos, venderemos, viviremos... Un futuro incierto frenaba toda actividad, todo proyecto. La guerra no terminaba y cada día llegaban noticias de nuevos desastres para los republicanos.

Mientras la guerra continuaba, las adolescentes paseaban en grupos por la calle Principal. Vuelta arriba, vuelta abajo, codazos, risas, empujones. Cuando pasaban los chicos también en grupos, lanzaban hacia ellas ataques fervorosos.

Siempre había alguna que fingía salir corriendo porque «él» estaba allí y no quería verle, desde luego prefería marcharse a su casa, no creyera «él» que «ella» estaba esperando que apareciera con su banda de brutos con los que no se podía ni hablar...

Torpes, tímidos, sensibles y violentos, se entregaban todos al juego antiguo y siempre nuevo de los primeros enamoramientos. El otro sexo estaba allí y los estudiantes de bachillerato comprobaban confusos su presencia.

Olvido escuchaba a sus hermanas, yo escuchaba a Olvido. Mi madre apenas salía de un mundo neblinoso, impenetrable para mí. Y la abuela me veía crecer y suspiraba moviendo la cabeza: «No sé, no sé esta niña, demasiado precoz la veo yo...»

La memoria no actúa como un fichero organizado a partir de datos objetivos. Aunque en cada momento escribiéramos lo que acabamos de ver o sentir, estaría contaminado por las consecuencias de lo vivido... Por ejemplo, si trato de recordar qué tiempo hacía el día que llegaron los alemanes a la ciudad de mi infancia, yo aseguraría que hacía frío. Quizá no fue así. Podría consultar libros o periódicos para comprobar la veracidad del dato. Pero yo sé que en mi memoria hacía frío. Es un recuerdo duro, enemigo. Por eso escribo: los alemanes llegaron en invierno. Recuerdo muy bien el día que los vi desfilar. Una banda militar les precedía entre una nube de banderas. Tocaban marchas brillantes y enérgicas. Los niños corríamos de una calle a otra para verlos. Nos colocábamos entre la gente para llegar al borde de la acera, a primera fila. «Son educados, fuertes, guapos», dijeron unos. Pero eran odiosos para otros, odiosos para mi madre porque su presencia significaba una ayuda a los rebeldes y un obstáculo grave para los defensores de la República.

«A mi tío el del bar», me contó en secreto Olvido, «le pusieron una multa por no alojar a un intérprete alemán. Bueno, le buscó una habitación en una fonda, pero a él no le gustó y le denunció. Lo de la multa lo pone el periódico, con su nombre y apellidos, y le llaman mal patriota. A él y a otros más, no creas...»

Los niños perseguían a los alemanes, les pedían las cajas vacías de sus cigarrillos rubios. «Alemán, caja finis.» Las cajas eran de latón dorado y plateado. En ellas se podían guardar muchas cosas: alfileres para jugar en la calle disparándolos con la uña para alcanzar los del amigo; botones sueltos, cromos de Nestlé, alguna moneda de cinco o diez céntimos...

«Escribe para recordar», dice mi madre cuando le hablo de estas cosas, «y para conjurar los fantasmas.» Escribo: cajas doradas, cajas plateadas, odiosas cajas alemanas, símbolo de un poderío ajeno y lejano.

Olvido me preguntó un día: «¿Tú has hecho la Primera Comunión?» Yo me puse colorada y mentí. «Sí.» «¿Cuándo?», insistió. «En el verano, en el pueblo de mi abuela...» «¡Ah!», murmuró. Me estaba enseñando unas fotos suyas, vestida con el traje blanco que ya habían usado sus hermanas, con un rosario de nácar y un libro de misa en la manos enguantadas. «Me hicieron muchos regalos», recordó con melancolía. «Fue hace cuatro años. Yo tenía siete. Como tú ahora...» Quizá por eso se le había ocurrido preguntarme, porque ésa era la edad que se suponía adecuada para cumplir con el rito. Y de pronto Olvido dijo: «¿Por qué no entramos a confesarnos para comulgar mañana?» Yo dije: «No sé si podré, no sé lo que piensa hacer mi madre...» Estaba aturdida, atrapada por mi propia mentira. Olvido insistió. «Y qué más da. Porque te confieses no quiere decir que sea obligatorio comulgar...» Incapaz de negarme, entré en el templo detrás de ella. Olía a incienso, a cera derretida, a flores un poco ajadas, flores que empezaban a descomponerse por sus tallos cortados. Después de santiguarse, Olvido meditó unos instantes y luego se dirigió hacia el confesionario, a la izquierda del altar mayor. Yo me quedé de rodillas en la penumbra, pensando en la manera de salir de todo aquello. Al cabo de unos pocos minutos apareció Olvido, con la cabeza baja, en estado de perfecta concentración. Se arrodilló a mi lado y dijo: «Ahora tú.»

Temblorosa, me dirigí al lugar de la prueba. Caí de rodillas sobre la madera, acerqué la cara a la celosía y oí el susurro del cura que me decía algo imposible de descifrar. Cuando dejó de murmurar yo recurrí a la fórmula que había oído a Olvido muchas veces. «Hace quince días que no me confieso», balbucí. Y a continuación enumeré como pude mis pecados.

Cuando quiero mirar dentro de mí, dentro de lo que

Cuando era niña, no pudo apreciar sus diferencias

queda de la niña que fui y pretendo analizar aquella
cobardía que me llevó a mentir a Olvido, me encuentro
con una verdad: yo hubiera querido pertenecer a aquel
grupo de gente que permitía a sus hijos hacer la Primera Comunión. Yo también hubiera querido un traje y
unos regalos y poder decir, de verdad, aquello de:
«Hace un mes que no me confieso.» Y poder acusarme
de las cosas mal hechas. Porque a la niña que yo era no
le gustaba ser diferente. Tenían que pasar muchos años
para que yo entendiera el valor de esa diferencia. Entonces sentía, como todos los niños, que mi puesto en
el mundo dependía de una afinidad con los valores y
tabúes de ese mundo. La singularidad como virtud no
existía todavía para mí.

Estábamos en la plaza jugando al marro con otros
niños. Olvido dijo: «Hay manifestación. ¿Por qué no
vamos? Ha caído Málaga.» Por primera vez tuve un
rechazo personal de ese tipo de acontecimientos a los
que solía arrastrarme Olvido. «Yo no voy», dije. «¿Por
qué?», preguntó ella. «Porque esos que gritan mataron
a mi padre.» Era la primera vez que afrontaba el asunto
abiertamente. «No serían los mismos», replicó Olvido,
«lo mataron en ese pueblo minero, ¿no?» Me quedé un
poco desconcertada, pero reaccioné enseguida. «Sí,
son los mismos. Me ha dicho mi madre que son los
mismos.» Olvido se quedó callada, buscando seguramente una réplica decisiva. Animada por su silencio,
continué: «Además esos de la manifestación son los
que sacan a la gente de noche de aquí al lado, de los

22

sótanos de la iglesia, y los llevan para matarlos en las carreteras...» «No es verdad», dijo Olvido. «Sí es verdad. Yo los oigo por la noche; oigo los camiones cargados que pasan por nuestra calle y los gritos de las mujeres que van detrás llamando a sus maridos...» No era cierto que yo los hubiera oído pero sí los oían mi madre y la abuela y lo comentaban entre ellas con pesadumbre y temor. «A lo mejor un día vienen a buscar a mi madre y también la encierran en la iglesia. Los tienen en aquella cueva, apiñados unos encima de otros.» No fuimos a la manifestación y Olvido se quedó un poco apagada, vencida por primera vez.

Hay que entregar el oro. Para ayudar a los salvadores de la patria. Se necesita el oro. Todo el oro. Cualquier oro. La consigna se extendió por la ciudad en algún momento de la guerra. La gente buscó en sus joyeros de piel, en sus cajas de cartón, en las bolsitas de tela donde tenían envueltas en papel de seda la medalla, el rosario, la cruz. Muchos entregaron sus alianzas. Hay que entregar el oro para que la guerra pueda continuar. Unos por convencimiento y por un sentimiento exaltado de estar contribuyendo personalmente a la causa, otros por miedo, el oro fue saliendo de las casas.

Muchos años después, los matrimonios llevaban en sus dedos aros de plata y decían mostrándolos: «Es de cuando la guerra, cuando entregamos el oro y dijo Pedro o Juan o Alberto, "Te compraré una alianza de plata"...»

Mi madre no tenía oro y la abuela tampoco. Mi madre sólo tenía un anillo con una piedra azul, el anillo de su boda. El aro estaba un poco desgastado. Bajo el baño de oro salía a la superficie un metal apagado y sucio. A mí me gustaba probármelo. Tiraba de él por debajo para que pareciera de mi tamaño y levantaba la mano para contemplarlo. Mi madre me reñía. No porque lo cogiera y lo tocara, no por miedo a perderlo, sino porque no le gustaba mi admiración por ese tipo de cosas. Para mi madre la austeridad era una mística; una actitud ante la vida, una forma de conducta. Por eso se preocupaba un poco cada vez que veía en mí un rasgo de frivolidad. Un día oí a la abuela hablar a mi madre en la cocina. Le decía: «Juana no es como tú. Se le van los ojos tras de las cosas bonitas.» Era verdad. A mí me gustaban los vestidos, las pulseras, los lazos, el brillo de las baratijas en los bazares del «Todo a 95».

Mi madre no se preocupaba mucho de su aspecto. Era joven y guapa pero no se notaba a primera vista. Había que conocerla mucho, observarla mucho para descubrir su belleza. Cuando, rara vez, se reía, cuando se quedaba pensativa y melancólica dejando vagar su mirada hacia un punto impreciso, entonces sus facciones se dulcificaban, suavizadas por alguna evocación misteriosa.

Un día al llegar a casa, era un anochecer de primavera, me abrió la abuela demudada. «¿Qué ocurre?», pregunté. «¿Qué le ocurre a mamá?», insistí. La abuela me hizo una señal de silencio con el dedo en los labios y luego, bajito, me dijo: «No le ocurre nada. Es que tiene visita. Ven a mi cuarto...»

El cuarto de la abuela olía de un modo muy singular. Una mezcla de manzanas que traíamos del pueblo en septiembre y de romero y tomillo seco que ella guardaba en bolsitas de tela colocadas entre la ropa. La habitación de la abuela olía como ella, a campo seco, a monte, a verano, a las hogueras de San Juan... Por un momento respiré hondo aquella fragancia y enseguida retornó la inquietud. «Una visita ¿de quién?» No conseguí sacarle una palabra. Suspiró y me tendió una madeja de lana que me coloqué entre las muñecas. El tiempo iba pasando y no sucedía nada. Cambiamos de madeja y me puse a pensar que quedaba menos de un mes para mi cumpleaños y se me había ocurrido que me regalaran un collar de cristal amarillo que había visto en el bazar. Eran cuentas redondas del tamaño de un garbanzo y entre unas y otras tenía chispitas de cristal verde. Había pensado hablar de ello a la abuela para que convenciera a mi madre. Aunque ya sabía lo que me iba a decir: «Tu madre piensa regalarte cuentos o lapiceros de color...» De pronto se oyó el golpe de la puerta al cerrarse y la abuela se abalanzó al pasillo. Todavía encerrada en mi egoísmo, pensé: «Otro día que no voy a poder hablar del collar.» Entonces recordé la visita y la preocupación de la abuela. Salí del cuarto y vi la puerta de la cocina cerrada pero oí a mi madre que decía: «No se te ocurra hablar de esto con nadie», con una voz alterada, un poco chillona a pesar del tono bajo en que pretendía hablar.

Aterrorizada, regresé a la habitación de la abuela,

cerré los ojos y volví a respirar el olor de campo que ella había conseguido encerrar entre sus cuatro paredes. Añoré el verano y la felicidad de vivir en el pueblo libres y tranquilas, con el río y los montes rodeándonos, aislándonos de las amenazas de la ciudad.

Siempre, desde entonces, cada vez que he vivido una situación de ansiedad cierro los ojos y rememoro aquel perfume de la abuela, no el real, no el que yo conocía en los veranos, sino aquel otro que ella mantenía vivo en el cuarto, como un talismán contra la angustia.

La infancia es jubilosa porque nada se interpone entre el goce sensorial y la conciencia de ese goce. No hay reflexión duradera sobre la experiencia inmediata, no hay análisis ni crítica. Del mismo modo el acceso al conocimiento se produce sin interferencias. La infancia es un continuo atesorar sensaciones, sentimientos, ideas en estado puro, sin que elementos ajenos a ese proceso nublen el esplendor del mismo. Pero la infancia puede también ser dolorosa, porque si sobreviene la tragedia, el niño no tiene defensas racionales, no levanta, como los adultos, el escudo de las soluciones posibles, de las compensaciones que equilibren el dolor sufrido.

Así pasaba yo de la alegría anticipada de un collar de cristal a la negra realidad de un suceso que mi madre trataba de ocultarme y que, con toda seguridad, sería terrible. Asustada, me tumbé en la cama de la abuela y me acurruqué en ella, esperando su regreso. Al poco rato, allí estaban las dos, madre e hija, mirándome y adivinando mis recelos y allí empezaron a darme explicaciones de lo que tanto temían que supiera.

«Por favor, Juana, no te preocupes por nada», dijo mi madre. «No pasa nada, no va a pasar nada...»

La abuela me miraba en silencio y se acercó a la cama para sentarse a mi lado y acariciarme el pelo.

«No va a pasar nada que nos haga daño. Se trata sólo de un amigo nuestro, un amigo de tu padre que está en apuros y necesita nuestra ayuda. Y vamos a tratar de ayudarle. Pero tú no tienes que decir nada a nadie. Ni de esto ni de ninguna cosa que se hable en esta casa, ¿entiendes?» Yo sí lo entendía, pero tenía miedo. «Me he acatarrado», dije de pronto. Y empecé a estornudar. «Me he acatarrado en la plaza.» Ésa fue mi reacción a la oscura confidencia de mi madre. La abuela me dio un tazón de leche hirviendo y me acostó enseguida con una botella de agua caliente a los pies. «Vais poco abrigadas», refunfuñaba, «y todavía hace frío. Cuando marzo mayea, mal asunto. Ya verás como luego volverá el frío. Ya verás como mayo marcea...»

Es verdad que estaba acatarrada. O me acatarré del susto y de estar mucho rato acurrucada en la cama de la abuela sin taparme ni moverme. Lo cierto es que tuve fiebre y durante tres días no me dejaron salir a jugar.

No sé si era jueves o viernes. Sí me acuerdo de que ese mismo día o el anterior había ido con Olvido a visitar las iglesias. Había que visitar siete el día de Jueves Santo. Los altares eran verdaderos monumentos de flores en torno al Santísimo, que yo en mi ignorancia creía que era un santo muy grande y muy alto aunque no lo veía por ninguna parte. Íbamos de iglesia en iglesia y esperábamos encontrarnos con algún conocido. Los chicos que les gustaban a las hermanas de Olvido. O quizás el viudo. Al viudo lo vimos, pero no en la iglesia sino dando un paseo con su niña de la mano por los alrededores de la catedral. «A lo mejor no es de iglesia», dijo Olvido. «Dicen que viene de América. Y seguro que sí, porque yo le encontré un acento raro aquella vez que me dijo: "Gracias, señorita..."»

No sé si fue esa noche o al día siguiente de las procesiones, que me parecieron preciosas con las imágenes balanceándose en las andas y las filas de mujeres con velas encendidas en las manos. Lo cierto es que una de esas noches llegué a casa muy excitada. Me abrió la abuela y casi le grité. «Lo he pasado muy bien...» Ella cerró la puerta detrás de mí y me llevó cogida del hombro hasta la cocina. «Verás», me dijo, «hay una persona en mi cuarto y no hay que entrar allí. Se va a quedar esta noche y yo dormiré con vosotras. Juntaremos las camas si hace falta, no te preocupes. Pero yo creo que si me dejas un hueco en tu cama cabremos las dos, ¿no?» La abuela trataba de echarlo a broma pero yo volví a sentir aquella punzada de miedo del día de la visita. «¿Es aquella visita?», pregunté. Y ella aclaró. «La visita era una mujer que vino a hablarnos de él.» «Entonces, ¿es un hombre?» «Sí», dijo la abuela. «¿Le voy a ver?» «No sé.» «¿No va a comer en casa?» «Sí, claro. Pero está cansado y a lo mejor se acuesta pronto.»

Mi madre había salido. Cuando regresó, sin preocu-

Un hombre se queda en la casa de Gaby

parse de mi presencia, habló con la abuela. «Es seguro que se va mañana. Todo ha ido como estaba previsto, todo tal y como me anunció la mujer que vino a verme. Le espera mañana en el primer banco de la iglesia del Carmen, entrando a la derecha, para llevarle a donde le tienen que recoger...» «Pero ella corre peligro», dijo la abuela. «Y nosotras también», dijo mi madre. Luego se volvió hacia mí. «Este hombre era amigo de tu padre, ya te lo dije. Está en peligro si le cogen. Viene del monte y van a llevarlo hacia Asturias para ver si allí puede embarcarse y salir de España. Tiene que pasar aquí la noche. Mañana temprano se marchará... Eres ya bastante mayor para entender que, de esto, no puedes hablar con nadie.»

Nunca hablé. Pasaron muchos años y muchas historias vividas hasta el día que encontré a una persona que me habló de Amadeo. «¿Tienes algo que ver con él?» «Es mi padre», me dijo. Entonces le conté todo. Le describí la noche que pasamos las tres, despiertas y en silencio, vigilando el más pequeño ruido, temerosas de que, a medianoche —¿no era a esa hora cuando daban los paseos?—, vinieran a buscarlo a nuestro refugio y nos llevaran también a nosotras, encubridoras, cómplices de aquel hombre que venía de las montañas, de combatir por una causa perdida.

Y también le hablé de la amistad que mi padre había tenido con el suyo en un pueblo de Castilla, cuando eran jóvenes los dos y estaba a punto de llegar la República, que llegó un 14 de abril, por cierto el mismo día que yo vine al mundo, el 14 de abril de 1931.

Mi madre empezó a pensar en la posibilidad de enviarme a alguna escuela para que no estuviera todo el día en casa. Además, los niños del grupito inicial donde yo me había integrado se iban marchando a colegios o escuelas y venían otros pequeños, de modo que llegó un momento en que yo era la mayor de todos y estaba bastante aburrida con mis compañeros. «Ya es hora de que se separe de mí», dijo mi madre. Y la abuela asintió con pesadumbre. «Ya verás qué problemas. Esta niña no sabe ni santiguarse y tendrá que empezar por ahí, ya sabes cómo están las cosas.» «Pues que aprenda», dijo mi madre con aquella decisión tan firme que tenía ante las cosas importantes. Porque en las otras se mostraba indiferente y dejaba que la abuela llevase la voz cantante. Lo que comíamos, lo que vestíamos, si íbamos a dar un paseo o no, si me ponía el lazo a un lado o las trenzas atadas en lo alto de la cabeza, todo eso era asunto de la abuela. Pero los asuntos serios los afrontaba ella. Así que decidió con prisas mi salida del ambiente doméstico y me matriculó en una escuela estatal cercana a casa.

Mi madre dijo en la escuela que hacía poco tiempo que vivíamos en la ciudad y no dio más explicaciones acerca de mi aprendizaje anterior. No obstante, el primer día que fui a clase la maestra me puso a leer y escribir y me preguntó algunas cosas sueltas. Enseguida dijo: «Estás muy bien, sabes mucho. Te voy a pasar con las de ingreso.» Una vez más iba a tener amigas mayores que yo, pero eso me gustaba y presumí con Olvido cuando la vi por la tarde: «Estoy con las mayores porque sé tanto como ellas.» Un poco resentida,

30

Juana está con las mayores en la escuela

Olvido dijo: «En las carmelitas nos exigen mucho más que en esas escuelas.»

Olvido, que tenía ya doce años, empezaba a estar rara y como huidiza. Muchos días no quería salir. Hacía un gesto de aburrimiento cuando la llamaba y ponía disculpas: «Tengo que estudiar. Tengo que salir con mi madre. Tengo que ayudar a mis hermanas.» Estaba cambiando. Se aproximaba a la adolescencia y ya no le interesaban los juegos de la plaza. Por esa época una nueva amiga empezó a ocupar en mi vida el lugar que Olvido iba abandonando. Se llamaba Amelia y era una compañera de mi nueva escuela. Era una niña rica. Su padre era dueño de una farmacia importante y el hecho de enviar a su hija a una escuela estatal ponía de relieve su ideología, nada afín a la enseñanza de los colegios de monjas. Amelia era un año mayor que yo. Enseguida me advirtió de las características de las niñas de nuestra clase. «Algunas son buenas y simpáticas. Otras son muy cerradas y no puedes acercarte a ellas. Son desconfiadas y cerriles porque sus familias no tienen educación.»

Amelia y yo nos entendíamos muy bien. La educación, ese término que ella había empleado dándole probablemente un sentido superficial, era lo que más nos unía. Su padre, como supe después, había estado muy cerca de la República e incluso le habían detenido, pero por falta de actividades políticas o más bien por las influencias de su familia le habían soltado al cabo de unos meses.

La familia de Amelia vivía en una casa con jardín en las afueras de la ciudad. La niña venía en bicicleta

31

todos los días hasta la escuela, que estaba cerca de la farmacia donde también trabajaba la madre. Tenía un hermano mayor que estudiaba en el instituto y cuando acababan las clases al mediodía se reunían los cuatro en la rebotica y comían juntos. Iban sacando de una cesta de mimbre los termos y las fiambreras que la madre preparaba cada día como si fueran a una excursión campestre. Esta familia me atrajo desde el primer momento. A pesar de mi escasa experiencia social y de mi propio aislamiento familiar, me daba cuenta de que eran diferentes de la mayoría. Comprendía que pertenecían a un mundo superior al mío pero que tenía mucho en común con él.

A los pocos días de conocer a Amelia le conté a mi madre cómo era y lo bien que nos llevábamos. Ella suspiró y me dijo: «Al fin has encontrado una amiga que me gusta.» Y me pidió que la llevara a casa para conocerla. Fue una visita corta, un jueves por la tarde que no teníamos clase, pero suficiente para que mi madre confirmase que mis juicios sobre Amelia habían sido acertados.

También los padres de Amelia quisieron que fuera a pasar un domingo en su casa. Mi amiga me vino a buscar con su hermano. Cada uno traía su bicicleta y al principio fuimos andando los tres; ellos guiando sus bicis con cuidado y yo cohibida entre ambos. Cuando cruzamos el puente y pasamos al otro lado del río, Sebastián, el hermano, dijo: «¿Por qué no subes en la bici y te llevo?» Pedaleando por la carretera llegamos a un paseo de chopos que cruzaba un prado grande y al fondo estaba la casa, blanca, con las ventanas bordeadas por un cerco rojo. A su alrededor macizos de flores de muchos colores la abrazaban como apoyados en ella. La casa se parecía a las que había visto en las ilustraciones de los cuentos.

«Nos gusta esta soledad», dijo la madre de Amelia. «Nos gusta vivir aquí, un poco lejos del ruido y de la gente.»

Desde el primer día observé que los padres de Amelia hablaban mucho con sus hijos y compartían con ellos todo lo que ocurría a su alrededor. Yo estaba acostumbrada a que me trataran como a una persona mayor, pero mi madre hablaba poco y nuestra vida transcurría en un ambiente serio y más bien apagado. Así que me sentí a gusto en aquella casa en la que todos estaban alegres y llenos de vida. Deseé intensamente haber nacido en una familia parecida; la rigidez de mi madre y su actitud pesimista ante las cosas me pareció de pronto insoportable. Pero cuando regresé al atardecer y llamé al aldabón de nuestro piso, me sentí avergonzada de haber pensado siquiera en la posibilidad de cambiar de casa y de familia.

Me esperaban con la cena preparada y las dos se sentaron a mi lado haciendo preguntas. «¿Qué tal los padres de Amelia? ¿Qué tal el hermano?» Yo traté de explicarles la armonía, la gracia y la belleza de la casa; la serenidad de las personas. «Todo era alegre. Había muchos cuadros en las paredes y muchas flores y un aparato para la música con una trompeta muy grande que se abría como una flor. Y la madre de Amelia toca el piano que tienen en el centro del salón, porque el salón se divide en dos con una librería, y apoyado en la librería está el piano...» Creo que fue la primera vez que pude captar la sensibilidad de unas personas que habían elegido la intimidad como forma de vida. También me di cuenta de que esa elección, aparentemente sencilla, tenía que ver con la frase que resumió para la abuela lo esencial de mis comentarios: «Son ricos, claro.»

«Anda, mujer, no te desanimes», decía la abuela. Estoy viendo la escena. Mi madre, silenciosa e inactiva, sentada en una silla baja, con las manos juntas, como abandonadas en el regazo. La abuela de pie a su lado, con los brazos cruzados bajo el pecho. Yo calcaba un mapa de un libro. En aquel momento dibujaba los contornos de América y estaba empezando a fantasear sobre lo lejos que estaba aquel continente y la inmensidad del mar que lo separaba de nosotros.

«Un árbol, cuando se cortan las ramas, sigue creciendo hacia arriba y le salen nuevas ramas. La vida no es más que eso, hija mía, un árbol que crece derecho y aguanta vendavales...» «Y también cae cuando le derriba un rayo», dijo mi madre. Pero sus palabras no me preocuparon porque yo sabía que era fuerte. Lo sé ahora, pero también entonces lo sabía. Seguí dibujando el mapa y para distraerlas a las dos dije: «¿Os gustaría que nos fuéramos a América?» Mi madre se levantó y se acercó y miró por encima de mi cuerpo inclinado el mapa que estaba haciendo. «Me gustaría mucho», dijo. «Me gustaría ir a algún sitio muy lejos.» «Nos iríamos las tres», apunté yo. Inesperadamente la voz de la abuela me llegó áspera, cargada de amargura. «Os iréis las dos. Yo no me muevo de aquí mientras viva.» «No te preocupes. Yo tampoco me iré. Me quedaré contigo y nos iremos las dos a vivir a tu pueblo.» Levanté la cabeza sonriente y busqué la sonrisa de la abuela. Pero ella no sonreía; lloraba. Su llanto me dejó sorprendida y un poco asustada. Porque, en ese momento, me di cuenta de que en nuestra casa no se lloraba nunca.

Aquella noche, ya en la cama, mi madre se sintió obligada a darme una explicación. «Tu abuela lo pasó muy mal cuando me fui a Guinea, antes de casarme. Me fui a enseñar a los negros de esa parte de África que es España y volví enferma porque el clima es muy malo para los que no estamos acostumbrados. El abuelo lo aceptaba mejor pero ella no y lloraba muchas veces como ahora.»

Guinea era una palabra que yo asociaba a una caja de madera olorosa en la que mi madre guardaba pulseras de pelo de elefante; una familia de elefantitos de marfil y una fotografía en la que ella aparecía vestida de blanco y rodeada de niños negros bajo un tejadillo de ramas entretejidas.

Recordaba muy bien la bandera de la República. La recordaba sobre todo porque mi madre conservaba el programa de unos actos en Los Valles en los que había tomado parte mi padre. El programa era un papel grueso doblado por la mitad como las pastas de un libro. Por fuera estaba la bandera y decía algo del Partido Socialista y por dentro estaban los nombres de los que iban a hablar en el acto. Uno de ellos era mi padre, el camarada Ezequiel García. Mi madre tenía muy guardado este programa. Estaba metido dentro del forro de un libro de ciencias colocado con los otros en su estantería. Parecía un libro más, forrado con un papel pardo, papel de estraza del que se usaba para envolver, pero yo sabía que aquel libro no se tocaba. Su única misión era conservar en lugar seguro pero a la vista, para no levantar sospechas, aquel tesoro familiar que encerraba dos peligros: la bandera y el nombre de mi padre unido al símbolo tricolor. Yo recordaba esa bandera y sabía que no tenía que hablar de ella, porque había sido condenada a desaparecer en la zona del país en que nos tocaba vivir. Los militares sublevados habían recuperado la bandera anterior, «la bandera de la monarquía», me explicó la abuela, «la bandera roja y gualda». Había momentos en que la nueva bandera se veía por todas partes. Cuando caía una ciudad o se rompía un frente importante, los balcones y ventanas se cubrían con colgaduras amarillas y rojas. Era una forma de preparar las calles para la manifestación de alegría por el triunfo.

Desde el primer día observé que en la casa en que vivíamos, sólo dos pisos, el tercero izquierda y el nuestro, que era el primero derecha, no tenían colgaduras. «Si no tenéis colgaduras dice mi madre que podríais colgar un mantón de Manila, algunos lo hacen», me dijo Olvido cuando observó nuestras ventanas vacías.

las colgaduras

Pero yo no me atreví a hablar de ello a mi madre. En cuanto al mantón de Manila, ni siquiera me molesté en hablar de él porque, aun sin saber muy bien qué clase de mantón era, estaba segura de que no lo teníamos. Pasaron meses y nadie volvió a hablar del asunto hasta que un día mi madre se encontró en la escalera con una vecina que vivía frente a Olvido, en el segundo piso. Era una mujer enjuta siempre vestida de negro «que se tragaba los santos», según la abuela, y a la que sólo conocíamos de encuentros casuales. Abordó a mi madre y le dijo: «Tiene que poner colgaduras cuando las pongamos los demás. Si no las tiene yo se las busco...» La sorpresa dejó a mi madre muda. «No es cosa mía», continuó la vecina, «pero hágame caso. Le va a traer un disgusto si no lo hace.» Al poco tiempo hubo una nueva ocasión de engalanar los balcones y al mirar hacia arriba vi que los vecinos del tercero izquierda habían decidido cumplir la consigna. La abuela trató de convencer a mi madre, pero no lo consiguió. «De ninguna manera», dijo, «de ninguna manera.» Nadie volvió a molestarnos, pero yo sentía un regusto de miedo y amenaza cada vez que la radio anunciaba una heroica victoria sobre el enemigo y en nuestra calle y en nuestra casa todas las ventanas, menos la nuestra, se cubrían de rojo y amarillo o, como decía la abuela, «rojo y gualda, ésa ha sido la bandera de toda la vida».

A cada nuevo lugar conquistado venía más gente a vivir a nuestra ciudad. Parientes o amigos dispuestos a reponerse que contaban desastres del otro lado. «Son todos unos traidores», decía mi madre, «si hubieran apoyado a la República nunca hubiéramos llegado a esta situación.» Pero ella se hundía a cada nuevo avance rebelde. Las manifestaciones de júbilo se multiplicaban. Ha caído... Ha caído... Ha caído... La calle era un jolgorio permanente. Aumentaban los gritos, las banderas, los uniformes. Los vencidos callaban. «Mis padres están tristes», me decía Amelia, y yo en el mismo tono le contestaba: «Mi madre también.» Y ante la proximidad de alguna compañera que pertenecía al otro bando, cambiábamos de conversación. Pero pronto olvidábamos la guerra. Nuestras vidas estaban llenas de pequeños acontecimientos compartidos, de aventuras que casi siempre ocurrían en el territorio de Amelia, en su prado o en el soto del río. La costumbre de ir a su casa los jueves y domingos por la tarde se extendió con el buen tiempo a muchos otros días de la semana al terminar las clases...

Un día me encontré con Olvido en la escalera y se paró a hablar conmigo. «No se te ve el pelo, ¿qué haces?» Ella había cambiado, era ya una chica mayor. Yo no sabía qué decirle y por ser amable le pregunté: «¿Qué tal el viudo?» «Ah, no sé... pero a mí qué me importa el viudo, mujer. Yo tengo otros que me interesan más.» Hablaba como sus hermanas, con un deje despectivo para impresionar. Me metí en casa preguntándome cómo había podido ser amiga de una niña tan poco simpática, tan poco lista, tan poco graciosa...

Las nevadas del invierno eran mi gran enemigo. Yo odiaba el invierno porque significaba enclaustramiento y oscuridad. Aquellos de la guerra fueron años de mucha nieve. «Con este frío, qué harán los pobres del frente...», se comentaba. Pero nadie aclaraba qué lado del frente, reservando esa definición más precisa para la intimidad de cada uno.

En el encierro obligado leía mucho. Mi madre conservaba la colección completa de los cuentos de Calleja que el abuelo le había regalado cuando era pequeña. Era una edición de portadas barrocas y minuciosas ilustraciones. También leía otros libros que mi madre me compraba. Cuentos de Antoniorrobles, de Celia, de Andersen y de Grimm.

Hacía frío y escaseaba el dinero. Las clases nos proporcionaban lo justo para cubrir las necesidades fundamentales. Luego estaba la pensión del abuelo, que no era mucho pero que la abuela aportaba íntegra a la economía familiar. Comíamos bien. La abuela cocinaba platos sencillos y sabrosos. Cada vez que íbamos al pueblo veníamos cargadas de patatas, alubias, harinas. Regalos de amigos que nos ayudaban a evitar algunos gastos. Los de vestir no existían. Del baúl de la abuela salían trajes antiguos y sábanas de hilo grueso que se transformaban en vestidos. Con sacos de azúcar de Cuba también se hacían trajes. Lo primero era borrar las letras, desteñirlas con lejía que blanqueaba el color sucio de los sacos.

En mis recuerdos los tres años de la guerra se confunden. Tengo muy claro el principio, el viaje larguísimo desde la casa de la abuela a Los Valles, los cambios del tren al autobús traqueteante y mi madre tapándome los ojos para que no mirara a la carretera. Años más tarde supe que había muertos en las cunetas, fusilados la noche anterior y abandonados hasta ser localizados por sus familiares.

Recuerdo la llegada a Los Valles, el encuentro con Eloísa y su llanto, y la palidez de mi madre, que se mantenía serena, sin hablar, sin contestar apenas a las palabras de la amiga. Luego la visita a nuestra casa para organizar el traslado de los muebles. Y la tarde que pasé con Marcelina, nuestra vecina que suspiraba y lloraba y me daba dulces hechos por ella, frutas, vasos de leche, mientras murmuraba sin cesar: «Maldita mina, maldita guerra, tanto hijo sin padre, tanta ruina...» Al anochecer apareció mi madre. Dio las gracias a Marcelina y yo le pregunté dónde había estado tanto tiempo. «En el cementerio», contestó, «y arreglando papeles de tu padre.» Aquella noche dormimos en casa de Eloísa. Mi madre no quería pero Eloísa se empeñó. Me acostaron temprano y ellas se quedaron tomando café. Me llegaba el tintineo de las cucharillas en las tazas y sus voces que reconocía, pero no entendía lo que decían. Hablaban en un tono bajo y monótono que acabó por dormirme. Al día siguiente regresamos al pueblo de la abuela. El taxi, el coche de línea, el tren. Un viaje largo, y por todas partes gente que se movía de un lado a otro entre la confusión y el silencio, el aturdimiento y el miedo.

Recuerdo muy bien el principio de la guerra y también el día que terminó, pero los sucesos intermedios se distorsionan, se difuminan. No recuerdo en qué momento cesaron de volar por nuestro cielo los aviones republicanos. Dudo si fue al principio o al final de la guerra cuando en los cines, al terminar la película, se saludaba con el saludo fascista mientras sonaba el himno nacional. Sí recuerdo que procurábamos escabullirnos para no tener que estar allí, con la mano extendida tímidamente, oscilando entre el temor y la vergüenza. Olvido y yo, Amelia y yo, la abuela y yo. O quizás eso empezó justo al terminar la guerra, cuando los años de triunfo exacerbaron las imposiciones de los vencedores. La guerra fue un paréntesis largo entre un antes que yo no recordaba y un después ceniciento y tristísimo.

Sin embargo conservo nítidos los recuerdos personales, los que tienen que ver con mis afectos y alegrías, los que me traen a la memoria disgustos o miedos concretos.

Aquella tarde de marzo llovió mucho. La chimenea estaba encendida y sobre la mesa había un ramo de lilas. «Las lilas huelen a primavera», dijo Amelia. «Y las violetas», dijo su madre. Y añadió: «Luego voy a darte un ramillete de violetas para tu madre, Juana. Las he cogido esta mañana, antes de que empezara a llover.» En esto se abrió la puerta del vestíbulo y entró el padre de Amelia charlando con un hombre que, aparentemente, acababa de llegar. La madre se dirigió hacia ellos.

El hombre se volvió y un sobresalto me estremeció.

El amigo del padre de Amelia era alto, esbelto, tenía el pelo negro, un bigote también negro y vestía un traje oscuro. Le faltaba el coche rojo y la niña y el sombrero, pero era el viudo de Olvido, estaba segura. Le faltaban también las gafas negras que siempre llevaba en el descapotable, por eso pude comprobar que sus ojos eran oscuros, brillantes como la sonrisa que nos dedicó. «Es un amigo nuestro», dijo el padre de Amelia. «Ésta es Juana, la amiga de Amelia», continuó a modo de presentación. El viudo nos hizo una pequeña reverencia y por primera vez le oí hablar. Tenía un acento suave, acariciante y empleaba fórmulas que no eran habituales entre la gente que yo conocía. Recordé la observación de Olvido: «Parece de América.» «Son ustedes muy lindas las dos», nos dijo. Y añadió: «Debía haber traído a mi muchachita para que jugara con ustedes.» Luego siguió hablando con el padre de Amelia y con la madre que había saludado al visitante con cordialidad. Amelia me miraba un poco intrigada por el asombro que debía de reflejar mi cara. «Vamos a merendar», me dijo. «¿Qué te pasa?» Con la merienda en un plato subimos a la buhardilla y allí le dije todo lo que sabía de aquel hombre. El atractivo que ejercía sobre las hermanas de Olvido y sus amigas y cómo al verle siempre solo con su niña y su automóvil habían supuesto que era viudo. Amelia me contó algunas cosas de él. Era viudo, sí. Y mexicano. Se había casado con la hija de unos indianos que habían regresado a España para instalarse en el pueblo donde habían nacido. Al morir su mujer, el mexicano, desesperado, decidió hacer un largo viaje a Europa y terminó en España para que la niña conociese a sus abuelos. «Les pilló aquí la guerra y decidieron esperar, porque dice él que se encuentra muy bien aquí y que a lo mejor los abuelos necesitan su ayuda, y al mismo tiempo le aterra tanto la idea de volver a su casa que prefiere esperar a ver qué pasa. No sé cuándo volverán a México. Lo que sé es que tiene allí mucho dinero...»

Amelia no parecía dar mucha importancia al personaje ni a su historia. «Es amigo de unos parientes de mi padre. Por eso le conocemos», terminó. Luego hablamos de otras cosas pero yo seguía pensando en el hombre que estaba abajo en el salón, y en la sorpresa que se iba a llevar Olvido cuando me la encontrara y le contase que había conocido al viudo y que sabía su historia y que me había hecho amiga de él en casa de Amelia y que un día iba a llevar a su niña para que jugara con nosotras y que...

«Es casi de noche», dijo Amelia. El tiempo había pasado sin sentir. Me lancé escaleras abajo pensando en el camino de vuelta y en mi madre, que me esperaría preocupada. Al despedirme, la madre de Amelia me dio las violetas y me dijo: «Dile a tu madre que venga contigo el domingo próximo o cualquier otro. Tenemos muchas ganas de conocerla.» El viudo nos dijo adiós con la mano. En la otra sostenía una copa de vino y sonreía. En la carretera, fuera de la verja, estaba estacionado el coche rojo. Tenía la capota puesta porque los días eran frescos todavía. Al llegar a casa le di las violetas a mi madre y le transmití la invitación que me habían hecho. Reaccionó como solía, con indiferencia y frialdad. «No me apetece ir a ninguna parte», dijo. Pero luego se ablandó: «Me alegro mucho de que tengas tan buenos amigos.» Y sonrió.

La enfermedad de la abuela se presentó de golpe, a primeros de un octubre seco y claro. Al amanecer oímos un golpe fuerte en su cuarto. Saltamos de la cama y salimos corriendo para encontrarla en el suelo inconsciente y blanquísima. Mi madre empezó a darle golpes en la cara y a tratar de incorporarla. Yo me había quedado en la puerta sin atreverme a entrar. Se me ocurrió decir: «Aviso a Olvido.» Y mi madre asintió. «Llama a su madre y dile que baje.» Cuando llegó el médico de la familia de Olvido, la abuela ya estaba sentada en su cama, incorporada con ayuda de unos almohadones porque decía que no podía respirar. El médico tranquilizó a mi madre y recetó un montón de cosas. La presencia del médico animó a la abuela. «Ya sé que son los años», dijo tristemente. Pero no eran sólo los años. En sucesivas pruebas resultó que la abuela tenía una lesión de corazón y había que cuidarla seriamente.

La enfermedad de la abuela cambió nuestra forma de vida y transformó la actitud de mi madre hacia mí. Muchos días no me miraba los deberes ni me preguntaba qué tal en la escuela ni se interesaba como antes por Amelia y su familia.

El otoño de pronto se volvió gris y empezó a llover. Recuerdo aquellos días mirando caer la lluvia tras los cristales de la cocina. La lluvia me entristecía. A ratos me acercaba al cuarto de la abuela. Entraba sigilosamente y la miraba. Unas veces estaba con los ojos abiertos y me sonreía y me hablaba. Otras parecía dormida y una angustia dolorosa me desgarraba. «Se va a morir», pensaba, y me acercaba a ella un poco más hasta comprobar que respiraba.

Estaban muy cerca las Navidades, que iban a ser tristes para nosotras con la abuela enferma y la incertidumbre diaria de su temido empeoramiento. «No sé si este año tendremos Nochebuena», le dije a Amelia el día que nos dieron las vacaciones. Me pareció que ella se entristecía pero no pude evitar continuar. «De todos modos las Navidades siempre son tristes.» La víspera de Nochebuena, Amelia vino a verme y me trajo un paquete de parte de su madre. Era un jersey que había tejido para mí, parecido a uno que llevaba Amelia que me gustaba mucho. «En casa nos ponemos los regalos en Navidad, como en Francia», me dijo. «Como mi padre ha vivido tanto tiempo en Francia... Tenemos un árbol iluminado. Tienes que venir a verlo.» Olvido bajó a visitarnos el día de Nochebuena y le conté lo del árbol. «En España no es costumbre», me dijo. «Además mi padre ha leído en el periódico que lo nuestro es el Nacimiento y que lo del árbol es de malos españoles...»

Sentí miedo y me arrepentí de habérselo dicho. Había temas peligrosos que no debían tratarse y que, decía mi madre, podían acabar en un disgusto. No obstante traté de tranquilizarme y olvidé pronto el incidente.

Mi madre hizo la misma cena de Nochebuena que tomábamos siempre. Asó el pollo, cocinó la sopa de almendras y cenamos las dos en la cocina después de obligar a la abuela a comer un poco de todo. Fue una noche triste y no teníamos ganas de probar el turrón. Nos fuimos a la cama enseguida, sin atrevernos siquiera a hablar de la salud de la abuela.

Aunque ya no creía en los Reyes ni en su largo viaje desde Oriente, esa noche, como la Nochebuena, parecía imposible de clausurar. Mi madre dijo: «No olvides colocar los zapatos a la puerta de tu habitación.» Así lo hice porque me gustaban los ritos. Me daban seguridad y confianza en que todo iba bien a mi alrededor. Aquella noche tardé en dormirme. Y recordé otra noche de Reyes, la del último año en Los Valles. Tampoco entonces podía dormir y oí unos golpes fuertes que resonaron en toda la casa. Mi padre bajó las escaleras y gritó: «Juana, Juana.» Mi madre me bajó envuelta en un chal y allí, en el rellano, había una muñeca, la más grande que yo había visto en mi vida. La cara era de china y llevaba un traje de seda blanco con un lazo azul. Mi padre sonreía. Es el último recuerdo claro que conservo de él. La muñeca se cayó un día, tiempo después, y la cara se rompió en mil pedazos. «Ahora soy mayor», pensé desde la gravedad de mis ocho años. Dormí de un tirón y cuando desperté oí golpes en la puerta y mi madre dio un salto, se echó encima el abrigo y dijo: «No te muevas», mientras entornaba la puerta. Hablaba con alguien y enseguida oí sus pasos que se acercaban. Se abrió la puerta de nuestro cuarto y en el vano apareció una rueda y un manillar y luego otra rueda y después mi madre, que empujaba suavemente desde el sillín una bicicleta. Me quedé paralizada por la sorpresa y la emoción que acompañan a los deseos cumplidos. No me decidí a levantarme, a acercarme a la bici, a tocarla. Sin saber muy bien por qué, se me ocurrió decir: «Fue como aquella vez con la muñeca. Los golpes en la puerta y luego...»

Vi a mi madre cambiar de expresión. Pero sólo fue un instante: «Esta vez el Rey Mago soy yo», dijo, y volvió a sonreír. Yo acaricié el manillar cromado, luego me refugié en los brazos de mi madre y me eché a llorar silenciosamente.

A medida que pasaba el tiempo, notaba que la actitud de Olvido y su familia respecto a la guerra parecía ir cambiando. Sorprendí en varias ocasiones frases amargas referidas a los republicanos. «Debían dejarlo de una vez... No se dan cuenta de que no hay nada que hacer... Se ahorrarían muchas vidas si se rindieran...» El día que la radio anunció la toma de Barcelona oímos gritos arriba que eran de alegría por la nueva victoria. Me sorprendió el cambio de esta familia, porque antes muchas veces me había contado Olvido historias terribles de gente conocida. «Por no ir a misa le fusilaron... Por votar a las izquierdas le metieron en la cárcel... Dice mi padre que no hay derecho.» Cuando le hablé de estas cosas, mi madre comentó: «La sumisión es consecuencia de la ignorancia.»

La bicicleta había cambiado mi vida. La nieve, la lluvia y el hielo fueron los únicos obstáculos que mi madre me puso para usarla cuando quisiera. Iba y venía por las calles cercanas; daba vueltas a la plaza; enfilaba hasta la carretera del monte. Las visitas a Amelia se convirtieron en una breve carrera que podía emprender en cualquier momento, con el pretexto más insignificante. Cuando Olvido vio la bici me dijo: «No es nueva, te lo digo yo. Te la han pintado y ha quedado muy bien, pero nueva no es. Ahora es muy difícil conseguir bicis nuevas...»

A mí me daba igual que no fuera nueva, porque era una bici fuerte y grande que me serviría hasta que fuera mayor. Cuando los días fueron más largos, los paseos a la salida de la escuela se prolongaron. Al principio Amelia me acompañaba siempre con su bici, pero luego iba yo sola hasta el seminario y volvía y subía por las calles estrechas que tan bien conocía. Desde la altura de mi bici alcancé una nueva forma de ver. Las imágenes pasaban a mi lado a un ritmo más rápido: tiendas, portales, jardines, gente que yo evitaba o que me evitaban. Por la carretera iba más deprisa y el viento me daba en la cara. «Esta niña está cogiendo color de tanto ir en bici», dijo la abuela. Mi madre me miró como si no se hubiese dado cuenta, porque efectivamente me miraba sin verme en los últimos tiempos.

«Después será peor», dijo un día el padre de Amelia. «Cuando esto acabe será mucho peor. Porque ahora les queda una última duda, una última precaución: nada está ganado mientras no está todo ganado. Pero vencerán y entonces sacarán las uñas y las irán clavando con delectación en los derrotados. Será poco a poco y le darán forma legal. Después de la guerra vendrá la persecución a los vencidos...»

Las palabras del padre de Amelia me recordaron las persecuciones de los cristianos de las que hablaba un libro que nos estaban leyendo en la escuela. Nos lo leían durante las clases de la tarde, mientras aprendíamos a coser en un trapo arrugado.

Por otra parte, empezaba a entender el significado de la palabra vencidos. Nosotros éramos los vencidos, los perdedores, los que sufrían persecuciones. El padre de Amelia también era un vencido pero él tenía amigos, parientes, dinero, un puesto claro e inofensivo entre los tarros de su farmacia. Mi madre y yo y muchos otros éramos los verdaderos perdedores aunque nunca habíamos tenido mucho que perder. Dejaba fuera a la abuela porque la veía desfallecida y lejana de toda amenaza que no fuera su propia enfermedad.

Desde que la abuela estaba enferma yo iba menos a casa de mi amiga. Mi madre no decía nada pero yo sabía que prefería tenerme cerca, así que los domingos subía un rato a casa de Olvido a ver si tenía algo divertido que contarme. Eso sucedía a primeras horas de la tarde, porque luego ella salía con sus amigas a dar una vuelta o al cine de las siete. Un día me contó que su hermana mayor tenía un ahijado de guerra. Pero era un ahijado especial, ya eran medio novios y hablaban de' casarse cuando acabara la guerra, porque él iba a trabajar con su padre en el almacén de trigo que éste tenía. «Yo también voy a ser madrina de guerra», me dijo Olvido para darse importancia. «¿Pero de quién?», le pregunté yo. Y ella muy ufana me contestó: «Del dependiente que teníamos en la tienda, que es tan soldado como otro cualquiera...»

La abuela se alejaba de nosotras. Mi madre dijo un día: «Ya no podemos contar con ella.» Y era verdad. La enfermedad nos había arrebatado a la abuela, que ya no era más que una sombra inquietante. Nuestra vida cotidiana había cambiado su orden al faltar la responsable de las pequeñas rutinas. Nos acostumbramos a estar solas, a ayudarnos la una a la otra, a repartirnos las tareas entre las cuales la más importante era el cuidado de la abuela.

Lo que sucedía a nuestro alrededor nos llegaba amortiguado.

Apenas teníamos tiempo para otra cosa que no fuera el trabajo. Así que cuando un día entró la madre de Olvido y dijo: «Ha caído Madrid, esto se ha acabado», la miramos con extrañeza. Era el 28 de marzo de 1939. Cinco días después murió la abuela. La madre de Olvido me hizo subir a su casa y ella se quedó acompañando a mi madre. Yo pensaba en la abuela y quería recordarla como era antes de su enfermedad, tan cariñosa, fuerte y enérgica. Quería recordar los platos que cocinaba y los cuentos que me contaba. Y los refranes que utilizaba y que me explicaba con todo detalle. Pero sólo me vino a la memoria una frase que repetía con frecuencia y que nunca me quiso explicar: «Tanto penar para morirse luego...» «Es un verso», decía, «y no tiene explicación.»

El verano se acercaba y la ciudad se recuperaba de la excitación de la victoria. «Cautivo y desarmado el ejército rojo...» La derrota del ejército había traído consigo la derrota de miles de civiles entristecidos y silenciosos. La derrota había instaurado un nuevo temor para los que hasta el último momento esperaron el milagro.

Mi madre cambió sus lutos anteriores que ya había empezado a aliviar con detalles blancos, por un negro absoluto en memoria de la abuela. Yo la veía más delgada dentro del vestido de percal, como una sombra oscura, pálida y ausente.

El verano se acercaba y mi madre no hablaba de lo que íbamos a hacer. Yo no me atrevía a preguntarle si volveríamos al pueblo de la abuela o si ése era un lugar abandonado para siempre. En cualquier caso veía rara a mi madre. Salía a veces sola y cuando volvía yo le preguntaba: «¿Qué has hecho?», y me contestaba con evasivas: «Papeleos, documentos, cosas que arreglar...»

Amelia y yo habíamos reanudado los paseos en bici por las carreteras cercanas. Un día Amelia me dijo que sus padres querían invitarnos a pasar el siguiente domingo con ellos.

Al entrar en casa encontré a mi madre sentada en una silla del salón. Sobre la mesa había papeles, planos. Levantó los ojos y me dijo: «Vamos a ir al pueblo de la abuela la semana que viene. Quiero tratar de vender la casa...» «¿Y luego?», pregunté alterada. «Luego iremos a otro sitio, lejos de aquí.» «Pero ¿a qué sitio?», casi grité. Me miró y sonrió pero yo estaba segura de que hacía un gran esfuerzo para mantener la sonrisa. «No lo sé», dijo. Y me atrajo hacia sus brazos abiertos. Aplastada contra su blusa le pregunté en un susurro: «¿Iremos el domingo a casa de Amelia? Sus padres nos han vuelto a invitar.» La respuesta llegó como una liberación: «Claro que iremos...»

Iba más arreglada que otras veces. Llevaba el pelo muy bien peinado y se había puesto unos pendientes de la abuela, unas bolitas de oro labrado sujetas a un colgante. Vestía un traje de seda negro que nunca le había visto. Se me quedó mirando y esbozó una sonrisa: «Es el traje de mi boda. Mira, todavía me vale...» Estaba guapa mi madre, y yo sabía que lo había hecho para complacerme. Nos fuimos las dos, cogidas de la mano, carretera adelante y yo le iba explicando por el camino lo simpáticos que eran los padres de mi amiga y lo bonita que era la casa y lo bien que lo íbamos a pasar. «Ya lo sé, me lo has dicho mil veces», dijo mi madre. Pero lo dijo alegre, sin ningún tipo de reproche. Y cuando alcanzamos la entrada, se detuvo un momento en la cancela y me apretó la mano con fuerza. La madre de Amelia salió a nuestro encuentro y mi madre y ella se dieron la mano un poco forzadas, como si no supieran bien qué hacer. Enseguida salió Amelia y detrás de ella asomó la cabeza de una niña morena, con un enorme lazo blanco. Se agarraba a la falda de Amelia y se escondía a su espalda. Amelia la obligó a salir cariñosamente y nos dijo: «Es Merceditas, la hija de un amigo nuestro.»

Entramos en el salón y nos llegó el rumor de una conversación que se interrumpió bruscamente. Los dos hombres se levantaron de sus butacas. «Octavio Guzmán», dijo el padre de Amelia, señalando al viudo con su mano extendida. Y luego cogió una mano de mi madre y la estrechó efusivamente entre las suyas al tiempo que decía: «Bienvenida, Gabriela.» El viudo inclinó la cabeza con un reverencioso saludo. La luz del jardín entraba por la ventana del fondo y dibujó el perfil de los dos, mi madre y el viudo que permanecían de pie uno frente a otro. Los dos enlutados y rodeados de un halo luminoso que destacaba aún más la negra envoltura de sus trajes.

II. El destierro

Mi madre dijo: «Es la segunda vez que me caso en una iglesia, yo que no creo en nada...»

Estaba guapa. El traje era negro y recuerdo que pensé: es la segunda vez que se casa de negro. Me hubiera gustado un traje más vistoso. Por ejemplo, un traje rosa o azul brillante. Pero eso no era para mi madre. «Eso que dices no es para nadie. Eso es un traje de noche, de fiesta», me dijo Rosalía, la sobrina de Octavio. Había venido a la boda desde Puebla, junto con su madre doña Adela, que era viuda, y el otro hermano de Octavio, soltero, don Ramón.

No puedo decir que yo estuviera triste y tampoco alegre. Desde el momento en que salimos de España en el descapotable rojo —ellos dos delante y Merceditas y yo detrás, tal como había fantaseado la primera vez que vi al viudo— no había pensado en posibilidades novelescas. En aquel viaje no se hablaba más que de los detalles de la huida, porque para nosotras era una huida. La guerra mundial cada vez se extendía más y Octavio decidió regresar a México con la niña. Ése fue el momento, la ocasión que aprovechó mi madre según me contó luego. Octavio ya le había hablado de lo bien que recibían en su país a los republicanos, del fervor de la gente, de la generosidad del presidente Cárdenas, de los barcos llenos de exiliados que salían de Francia. Un día dijo: «¿Por qué, Gabriela, no intentamos que se vengan ustedes para allá? Serán felices, ya lo verá. Dejarán atrás esta tristeza y esta angustia de la guerra y sus consecuencias...» Dice mi madre que se encontró con la propuesta así de repente, pero la verdad es que ella llevaba mucho tiempo dándole vueltas a lo de marcharse lejos. Me lo había dicho más de una vez: «Nos iremos...» Ella siempre tuvo ese deseo de escapar. Y más entonces con la guerra perdida y el porvenir tan negro. Porque ya no podía soñar con que le devolvieran la escuela ni con trabajar por su cuenta, como había hecho los años de la guerra. Cuando conseguimos, mejor dicho, consiguió Octavio los permisos y los pasajes echando mano de los amigos de sus amigos en Lisboa, creo que todos respiramos tranquilos. Dos días antes de embarcar, Octavio vendió a un amigo el descapotable rojo.

Ya en el barco, mirando la tierra que quedaba atrás, me dijo mi madre: «Así arranqué un día de Cádiz para irme a Guinea. Entonces no escapaba de nada y además iba sola...» Me cogió de la barbilla, ella que no era muy dada a los gestos cariñosos, pero no sonrió. Yo aproveché para decirle: «¿De qué huimos? ¿Tienes miedo por aquel amigo de mi padre?» Y ella contestó: «No. Tengo miedo de no poder vivir en una cárcel, porque ya todo es una cárcel...» No lo entendí muy bien, aunque ahora sí lo entiendo después de un tiempo viviendo aquí, con tantos españoles refugiados y tanta noticia triste que nos llega de España. Pero volviendo a la boda, durante el mes que tuvimos que esperar en Lisboa nadie habló de boda ni cosa parecida. A veces nos tomaban por una familia y decían tu papá o tu mamá a Merceditas y a mí. Pero ellos nada, más bien callados, preocupados por las dificultades que estaban surgiendo y las que poco a poco podían aparecer. Ocupándose de nosotras y llevándonos de paseo a la orilla del mar, al Acuario, a la estufa fría. Me gustaba Lisboa y me gustaba la gente: me gustaba aquel acento dulce y arrastrado. «¿Por qué no nos quedamos en Lisboa?», pregunté una vez. «Está muy cerca de España, no hace falta barco para volver.» Mi madre no contestó. Contestó Octavio: «Aquí ustedes no pueden vivir y en México sí.» En el barco seguí haciendo preguntas: «¿Tenemos dinero bastante?» Porque sospechaba que el dinero que nos dieron por la casa de la abuela no iba a durar siempre.

«Cuando lleguemos, trabajaré como hacen todos», dijo mi madre. Octavio la puso en contacto con los españoles exiliados. Primero le encargaron trabajos de oficina, largas listas de nombres y domicilios de españoles para poder dar información si preguntaban por ellos. Después trabajó en un economato donde se recibían donativos para los refugiados, ropas, muebles, mantas. Así estuvimos unos meses y durante ese tiempo Octavio se quedó en Ciudad de México con la niña. «Hasta que ustedes se acomoden», nos dijo. A mí no me chocó porque pensaba yo: «Si pudo estar una temporada tan larga en Europa también podrá quedarse algún tiempo más en la ciudad.» Para entonces ya sabíamos muchas cosas de Octavio. Que no tenía padres. Que cuando se quedaba en Ciudad de México vivía en la casa de unos tíos suyos a los que quería mucho porque le habían cuidado cuando murió, muy joven, su madre. Que sus dos hermanos mayores vivían en Puebla. Que él administraba una hacienda familiar con mucha tierra y muchos cultivos. Que alguna vez teníamos que ir a visitarles y quedarnos unos días...

Allí en la boda había españoles, conocidos en nuestra corta estancia entre ellos, y también mexicanos, amigos de Octavio. Los mexicanos parecían contentos con mi madre. «Doña Gabrielita», le decían, «qué alegría que usted se case aquí en nuestra tierra y con un mexicano.»

El mexicano estaba serio. También vestía de negro y al verlos juntos se me vino a la memoria el día que se conocieron. Que por cierto, aquélla fue la única vez que tuve una especie de corazonada al verlos a los dos tan de luto, tan iguales, tan viudos y solitarios.

Merceditas y yo estábamos juntas, en el primer banco de la iglesia. Ella con un traje blanco. Yo con un vestido rojo. Los zapatos eran de charol negro y me hacían daño. Por la noche, cuando me los quité, tenía una ampolla en el talón y lloré de dolor, aunque yo creo que también lloraba por los nervios y las emociones del día y por la boda de mi madre, que me alegraba y me entristecía a la vez. Merceditas parecía tranquila. No se movió durante la ceremonia, que fue corta, ni después en la fiesta que se sirvió en un restaurante precioso lleno de flores y luces de colores, con muchas cosas para comer y beber y cantos de los amigos de Octavio. Cantos tristes unos, de penas y desengaños, y otros alegres con una música que daba ganas de correr y saltar. Merceditas se portó muy bien. Era una niña dócil. Hacía siempre lo que su padre le mandaba. Se veía que le quería muchísimo y no se separaba de él ni un minuto. Por eso me decía yo que no le haría mucha gracia lo de la boda, aunque lo aceptara sin rechistar como todo lo que su padre hacía. Muchas veces después he pensado que fue raro aquel día que pasamos juntas las dos y sin embargo tan separadas, cada una pensando en sus cosas sin decirnos nada, casi ni nos mirábamos. Venían los invitados y decían: «Ay, mira las hermanitas, qué bueno, dos hermanitas tan igualitas, juntas así de golpe...»

Pues ya digo, en el viaje de barco, que fue largo y no sé cuántos días duró pero fueron muchos, no vi yo en la pareja síntomas de amoríos o cariños. Se portaban como buenos amigos, pero un poco lejanos; cada uno pasaba mucho rato con su hija aunque luego comíamos y cenábamos juntos los cuatro, pero eso era todo. Mi madre y yo salíamos con frecuencia a cubierta. Si hacía bueno nos sentábamos en una sillas que estaban atadas unas a otras para que no se cayeran con el viento. Allí nos tropezamos con muchos españoles. Había bastantes en situación parecida a la nuestra, aunque decían que la mayoría embarcaban en Francia, sobre todo una vez que empezó la guerra y se vio que allí poco porvenir tenían. Iban todos con esperanzas de una nueva vida, pero también tristes y llorosos por lo que dejaban atrás. Jugábamos con los otros niños al parchís en un salón sombrío donde los mayores tomaban café al vaivén de las olas. El viudo y su hija aparecían de tarde en tarde. Él se inclinaba a saludar a mi madre y preguntaba: «¿Todo bien, Gabriela?» Y mi madre le sonreía, como apagada, como sin ganas.

Rosalía, la sobrina de Octavio, vino a buscarnos a Merceditas y a mí y nos advirtió: «Sus padres se van, niñas, vengan a despedirse.»

Yo sabía que se iban a la hacienda para preparar nuestra llegada, y también, pensé después, para acostumbrarse a estar juntos. El caso es que se fueron, serios y tranquilos. Desde la puerta volvieron la cabeza y nos dijeron otra vez adiós. Los invitados españoles se habían ido colocando juntos y cantaban canciones que todos conocían y coreaban con entusiasmo.

El día de la boda nos llevaron a dormir a la casa de los tíos de Octavio, donde habían estado instalados él y Merceditas, desde nuestra llegada de España. Era una casa grande, de dos pisos, en Coyoacán. Tenía un jardín alrededor y al fondo una casa pequeña, como de juguete, que habían construido para sus hijas cuando eran niñas. Los tíos eran mayores. Sonreían siempre y me trataron con mucho cariño. Me instalaron en el cuarto de Merceditas, que tenía dos camas de madera con un baldaquino del que colgaban cortinas blancas, tiesas de almidón. «¡Ay qué alegría tener otra vez niñas en la casa!», decía la tía. Acariciaba a Merceditas, y a mí me daba golpecitos en la cara: «Mírala, la española, tan seria y tan mayor.»

Aquella noche dormí mal. Estaba nerviosa y la extrañeza del cuarto excitaba mi imaginación. El calor me agobiaba, me asomé a la ventana y contemplé el jardín. La casa de los juegos estaba en sombras. De pronto me pareció que una luz temblorosa brillaba tras los cristales de la casa, como si alguien se moviese dentro con una vela en la mano. ¿Era el reflejo de la calle? ¿El fantasma de las niñas lejanas? El corazón me latía con fuerza. Miré hacia la cama de Merceditas, que aparentemente dormía. Cerré la ventana y volví a la cama sin hacer ruido. Tardé en dormirme y no me desperté hasta que Merceditas vino a buscarme y me sacudió suavemente diciendo: «Que nos vamos ya, que el coche nos espera...»

Después de desayunar, salimos hacia Puebla para pasar unos días con doña Adela. Luego nos vendrían a recoger nuestros padres para llevarnos a la hacienda.

Puebla es una ciudad grande. Está en un valle rodeado de montañas muy altas. Tiene una plaza con muchos árboles y una fuente preciosa en el medio. Allí está la catedral. Pero hay iglesias por todas partes. Iglesias con altares de oro, iglesias con altares pintados de muchos colores, torres altas, cúpulas, campanarios. Cuando suenan las campanas parece que ha empezado una gran fiesta que se transmite de unas a otras y se prolonga hasta el último rincón. Rosalía, la prima, nos acompañó a dar un paseo hasta la iglesia de Santo Domingo que tiene una capilla, la del Rosario, muy alegre, con una virgen llena de adornos. «Aquí me bautizaron», dijo, «a ver si me caso aquí.» Eso fue el sábado. El domingo nos llevaron a misa a la catedral. No se parecía nada a la de mi ciudad, pero me gustó ir. Me gustó la ceremonia, la música, las casullas de los curas, el parpadeo de los cirios, el olor del incienso. Por la tarde nos dieron chocolate con dulces muy ricos. El chocolate lo hicieron en una chocolatera dorada, removiendo lentamente con el molinillo. Como en España. El tercer día, que era lunes, fuimos con doña Adela al mercado. Los puestos eran maravillosos. Todo lo que vendían tenía muchos colores: las frutas, las especias, las telas... También las flores de papel y los juguetes de latón. El mercado era lo más alegre de Puebla. Doña Adela nos compró chucherías y a mí me regaló un traje de poblana muy bordado con los colores de la bandera. El martes llegaron mi madre y Octavio. Mi madre llevaba un vestido blanco y estaba muy guapa. También Octavio llevaba un traje claro y un sombrero de paja fina.

Al entrar por primera vez en la hacienda de Octavio confirmé lo que ya sabía: que Octavio era rico. El viaje a la hacienda lo hicimos en coche, un Ford grande, cargado de equipaje. Desde Puebla no había muchos kilómetros, pero la carretera era mala, llena de cuestas y curvas porque había que atravesar una parte de montaña. Al doblar un recodo, de pronto apareció una explanada y una tapia no muy alta, en cuyo centro destacaba una puerta de hierro forjado con un arco superior en el que decía con letras muy recargadas:

«Hacienda Guzmán.» La verja estaba abierta y el coche avanzó por un paseo ancho, limitado por árboles a ambos lados. Al final del paseo estaba la casa, una espléndida construcción española, de la época colonial, me explicó mi madre, con una fachada blanca que se prolongaba hasta lo alto en curvas airosas rematadas por un campanario. Tenía muchos salones y habitaciones que allí les dicen recámaras, pasillos, galerías y un patio central, rodeado de buganvilias moradas que subían hasta el primer piso. En el centro se erguía una palmera con un tronco grueso por el que trepaba una glicina color naranja. Bancos de hierro muy trabajados ocupaban las cuatro esquinas del patio y arriba, en lugar de techo, resplandecía un rectángulo de cielo azul.

La finca era enorme. Kilómetros de cultivos, maíz, trigo, fríjoles, se extendían por las estribaciones de la montaña y descendían a un amplio valle para volver a subir por las laderas lejanas. «Ya iremos recorriéndolo todo», dijo Octavio. «Del otro lado, más hacia el sur, están las mejores tierras de la hacienda. Ésas son las que cedió mi padre cuando la reforma de Carranza.» Se dirigió a mi madre: «Te advierto que están medio abandonadas. No tenían quien supiera dirigir y organizar el trabajo, y los indios, ellos solos, han acabado por arruinarlas. Lo mismo ha ocurrido con muchos ejidos.» Mi madre sonrió y dijo: «No sabían cultivarlas. No sabían organizarse. Porque nadie les enseñó...»

En la casa teníamos criados y en el campo peones. Éstos en realidad eran familias de indios que vivían diseminados por el territorio de la hacienda. Vivían en casas de adobe encaladas, con una parra sobre la puerta o arbustos a su alrededor. Trabajaban de sol a sol y parecían contentos porque el amo no era «cruel y abusón como otros», decía Remedios, la gobernanta que había visto nacer a Merceditas y había cuidado a su madre hasta el final. Remedios hablaba mucho. Sería por la confianza que le había dado la familia o por los muchos años que llevaba en la casa o porque tenía sangre española. Como ella decía, «mi Fernández es de allá, de ustedes, no como otros que no sé de dónde sacan el apellido».

Los demás criados apenas hablaban. Iban de un lado a otro haciendo sus trabajos, un poco aturdidos por nuestra presencia. Ésos eran los que tenían sus obligaciones en la vivienda principal. Los otros, los que trabajaban en el campo, no aparecían por la casa y apenas los conocíamos. Pero sí conocíamos a sus hijos. Había niños por todas partes. Enseguida observamos que se movían libremente, los utilizaban en las tareas más variadas y aparentemente no iban a la escuela. Los niños y su absoluto abandono fue la causa de una discusión que presencié entre mi madre y Octavio. «No se puede con ellos», dijo Octavio, «el pueblo está lejos y no tienen interés en ir a la escuela. Con cualquier disculpa abandonan.» Por ahí empezó la discusión. Octavio era un hombre abierto a todas las transformaciones y partidario de las reformas que pudieran beneficiar a su país. Como mi madre, él creía que sólo la educación cambiaría las cosas. «Pero ¿qué haces para que cambien?», preguntó mi madre aquel día, cuando llevábamos unos quince viviendo en la hacienda. «Sé cómo piensas y estamos de acuerdo en las ideas, pero la conducta no siempre coincide con esas ideas. No es suficiente votar y opinar, cada uno debe hacer lo que mejor pueda para mejorar las cosas.» «Las acciones individuales son granos de arena en el desierto», dijo Octavio.

«Yo creo en los granos de arena», replicó mi madre. «Es fundamental que los niños de tus peones vayan a la escuela.» Así nació la idea de hacer una escuela en la hacienda para que mi madre la organizara y enseñara a leer y escribir a los inditos.

Es curioso qué ciega estuve yo con lo del enamoramiento de mi madre y Octavio. Ahora que los veía juntos y felices, ahora que mi madre decía eso de «estamos de acuerdo en las ideas», yo pensaba ¿pero cuándo, en qué momento empezaron a estar de acuerdo en las cosas? Tan dada como era yo a fantasear y no vi lo que tenía delante de los ojos. Cuando llegamos a México, Octavio nos visitaba con frecuencia. Acompañaba a mi madre a resolver algún asunto, siempre de papeles, porque tenía amigos en todas partes que simplificaban las gestiones. Nos llevó a comer varias veces a restaurantes agradables. Nos llevó a visitar barrios y monumentos y nos explicaba todo con mucho interés. A mí me parecía una persona muy cercana, muy amigo nuestro, y lo refería continuamente a España, a los padres de Amelia, a Amelia. Era como un eslabón entre el mundo perdido y este nuevo mundo encontrado.

Hubo un día, que ahí sí debía haber estado yo más despierta y más observadora, en que vi a mi madre mirarse en el espejo. Era un espejo que se trajo de

España entre las ropas de la maleta. «Aunque se rompa, lo llevo», dijo, «porque ha estado conmigo desde el día que me casé con tu padre.» El espejo estaba colocado en una de las dos habitaciones en que nos alojábamos, la que nos servía de dormitorio. Y allí estaba ella mirándose y mirándose y pasándose el dedo por las cejas, estirándose la piel de la frente para que desaparecieran las arrugas, mordiéndose los labios para que tuvieran más color. Se volvió hacia mí, que la contemplaba distraída, y me dijo: «Soy ya vieja, ¿verdad?» Nunca hubiera esperado esa pregunta, de modo que tampoco tenía preparada la respuesta. Pero fui tajante y rápida. «¡Qué va! Tú no eres vieja. Eres guapa y delgada... Y joven.» Tenía entonces treinta y ocho años y por primera vez me planteé que sí, que iba empezando a ser mayor, pero estaba bien de salud y era verdad lo que le dije, que era delgada y guapa. De todos modos me sorprendió la pregunta. Aunque ni remotamente la asocié a Octavio.

La escuela la instaló mi madre en la planta baja, en una gran sala que daba a la parte posterior de la casa y nunca se usaba. «Aquí hubo en tiempos una capilla», dijo Octavio, «pero se destruyó en un incendio. Alguien se dejó una vela encendida que cayó sobre los paños del altar y ardió todo, el altar, los santos de madera. Luego, cuando pintamos la sala, ya no se rehízo la capilla. Así que ahí la tienes para lo que quieras hacer...»

De Puebla trajeron un camión lleno de pupitres,

68

tizas, libros, cuadernos, un encerado, un globo terrá-
queo, un mapa de México y uno de América entera.
Todo lo había ido encargando mi madre en sucesivos
viajes con Octavio. Nosotras le ayudábamos a colocar
las cosas y a pintar cartulinas con frisos de flores para
adornar las paredes. Cuando todo iba estando a punto,
una noche en la cena, dijo Octavio: «Vamos a hacer un
viaje antes de que empiece a funcionar tu escuela,
Gabriela. Visitaremos a las primas en Cuernavaca y
luego iremos a Acapulco. Quiero que te asomes al
Pacífico.» Me pilló de sorpresa y miré a mi madre
esperando que se negara. Pero ella dijo: «Desde luego.»
Sonrió a Octavio y se volvió a la india que servía la
mesa para pedirle algo.

«Nunca volverá a contar conmigo para nada», pensé. Y dejé de comer aunque tenía hambre y me estaban
gustando las tortitas rellenas que tenía en el plato. Mi
madre me miró distraída y me dijo: «¿No comes más?
Seguro que has merendado demasiado.» No contesté.
Ella seguía charlando con Octavio y él le adelantaba las
maravillas del viaje, las personas que iban a encontrar,
los paisajes que iban a descubrir. «No conoces nada de
este país», decía, «y tienes que irlo explorando poquito
a poco.» Mi madre asentía. Decididamente no estaba
preocupada por mí. No se había detenido a considerar
que yo iba a quedarme sola, aunque la hacienda estuviera llena de gente. Por primera vez me di cuenta del
cambio que había sucedido en nuestras vidas. El matrimonio de mi madre no significaba sólo una nueva
residencia, una forma de vida diferente y más grata,
sino una forma nueva en nuestra relación. Yo estaba

acostumbrada a vivir pegada a mi madre, hasta el punto de no haberme separado de ella ni un solo día en mis diez años. La boda ya supuso una breve ausencia, y ahora este viaje parecía el preludio de una serie de distancias que se interpondrían entre las dos. No quise jugar con Merceditas como todos los días. No quise ir a su cuarto a organizarle los trajes de las muñecas o a leer cuentos ni correr por los pasillos jugando al escondite por las habitaciones vacías. Bajé a la cocina a ver a Remedios, que me dio un vaso de leche y unas masitas que ella hacía. La leche estaba fresca, y los dulces, riquísimos. Conmovida, lloré de agradecimiento, silenciosamente. Remedios se dio cuenta, vino a limpiarme la cara y me aplastó la cabeza sobre su blando pecho. «¿A que sé yo por qué llora mi hijita? Llora porque se va su mamacita, pero eso no está bien, que aquí queda su Remedios para remediarle todas sus penitas...» Luego se puso seria y apartó mi cabeza de su cuerpo. «Pero vamos a ver, Juana, ¿qué tenía que hacer Merceditas entonces? Porque ella es más pequeña y también su papá la va a dejar por unos días, pocos días, ya lo verás...»

Me fui a la cama más tranquila y todavía no estaba dormida cuando entró mi madre y me dio un beso en la frente. Ella no había sido nunca dada a besar así, sin ton ni son. Pero desde que se había casado y vivíamos en la hacienda, me besaba todas las noches, antes de irse a la cama con Octavio.

Yo no podía imaginar los detalles de su intimidad pero sabía que eran horas para ellos solos, horas sagradas que no se podían interrumpir, horas en que los dos estarían abrazados en aquella cama grande hablando de sus cosas hasta que les fuera llegando el sueño.

No sé si Merceditas tenía celos de mi madre. Nunca se lo pregunté, por una mezcla de timidez y soberbia y también porque no sabía cómo empezar. Tampoco sabía qué recuerdos guardaba ella de la suya. Un día, al poco tiempo de llegar a la hacienda, me enseñó una por una todas las habitaciones del primer piso y me iba diciendo los nombres que les daban: «Ésta es la del obispo, ésta la del gobernador, ésta la del abuelo Pedro...» Al llegar a una al final del pasillo, me dijo antes de abrirla: «Aquí murió mi mamá.» Luego la abrió de par en par y siguió adelante sin detenerse. La habitación estaba en penumbra, con las contraventanas cerradas y las cortinas echadas. Adiviné una gran cama con una colcha blanca y un tocador con un espejo en el que se reflejaba la puerta abierta. Había frascos en el tocador y un portarretratos con una fotografía de boda que apenas pude distinguir, pero estaba segura de que eran Octavio y ella, la mamá de Merceditas. Cerré deprisa y me fui detrás de la niña que ya bajaba por las escaleras y me decía al verme: «¿Y qué tal si jugamos a la teja?» Me pareció que con aquella alusión a un juego que le habíamos enseñado Amelia y yo en España, pretendía hacerme comprender que estaba contenta conmigo y con nuestra presencia en su casa. Y también que la muerte de su madre había quedado encerrada en aquella habitación que ya nadie utilizaba.

Del viaje volvieron morenos y alegres. Nos trajeron muchos regalos. Cajas cubiertas de conchas marinas, caracolas enormes, collares de coral negro y blanco, un periquito en una jaula... Yo les había perdonado y me sentí satisfecha al ver a mi madre tan feliz y tan guapa. Llevaba un vestido nuevo de seda estampada con hombreras grandes y unas sandalias de tacón. «Última moda en Cuernavaca», nos dijo, «moda de gringos.» Se había cortado el pelo y lo llevaba suelto en ondas naturales. Parecía más joven. Octavio me dijo: «¿Cómo la ves a tu mamá, Juana?» «Muy bien», le contesté. Y tuve que reconocer que mi madre se parecía a la madre que siempre había soñado, guapa, joven y elegante. Como las que salían en las películas que veía con Olvido y sus hermanas los domingos por la tarde.

Los niños llegaban a las nueve de la mañana. Aparecían repeinados y limpios, daban los buenos días y se sentaban a trabajar. Mi madre hizo una lista con sus nombres y apellidos y cada día comprobaba que estaban todos. Los había de edades muy diferentes, pero ninguno sabía leer. Los dividió en grupos y le dijo a Octavio: «Me parece que he vuelto al principio otra vez. Al primer pueblo en que tuve una escuela unitaria y no sabía cómo arreglármelas para que no perdiera el tiempo ninguno...»

Aunque a la tarde no había clases —era cuando mi madre se ocupaba de nuestros estudios—, muchas veces aparecían dos o tres niños preguntando por doña Gabriela. A regañadientes, Remedios llamaba a mi madre —«...que la van a dejar seca de tanto hablar, que les da demasiadas libertades...»—. Pero mi madre siempre les recibía y ellos traían preparada una pregunta, una duda. Muchas veces lo que traían era un regalito: unas plumas coloreadas, una cestita de palma tejida, una fruta.

La escuela fue un éxito desde el primer momento. Y yo volví a descubrir en mi madre la sonrisa y el tono de voz que reservaba para sus clases. Desde muy pequeña había captado la transformación que se producía en ella cuando se enfrentaba con un grupo de alumnos. Fuera quedaban las preocupaciones o las tristezas. Salía de sí misma y era capaz de crear a su alrededor una atmósfera de vigoroso entusiasmo. Un día, cuando yo era una adolescente exaltada que se debatía entre mil caminos, me dijo: «Elige algo que pueda ser para ti el cimiento de tu existencia. Algo a lo que te puedas agarrar en los momentos malos, algo que nadie pueda quitarte. Las personas, los afectos pasan, pero tu profesión está ahí. Es como tu esqueleto que soporta tu cuerpo y te permite andar y moverte de un lado a otro, un delicado mecanismo que regula el equilibrio de tu vida.» Yo sabía que aquello era, al menos en su caso, absolutamente cierto.

A Merceditas y a mí nos buscaron un colegio en Puebla para ir preparando la secundaria. Era un colegio pequeño que había instalado un matrimonio de refugiados. Él, alemán, judío, huido del nazismo; ella, catalana, republicana, que venía de un campo de concentración francés. Llevaban un año y ya habían conseguido reunir un grupo de alumnos procedentes de familias liberales. Hijos de médicos, de abogados, la gente que simpatizaba con los vencidos de España y los perseguidos de Europa.

La familia de Octavio no estuvo de acuerdo. En la ciudad había colegios religiosos a los que acudían los hijos de las buenas familias. «Allí es donde se pueden hacer las amistades de toda la vida, Octavio, allí podrán preparar a tu hija para casarse con alguien que merezca la pena...», decía doña Adela. Y su hermano Ramón asentía, sin palabras. A mí ni me nombraban. Seguramente pensaban que mi madre era la causante de una decisión tan desafortunada para Merceditas, que hasta ese momento había tenido tutoras en casa. «Aunque ya sé yo que tú de siempre has sido revolucionario, que te conocemos, Octavio, y no soy yo quién para culpar a nadie de tus faltas...»

Para ir y venir a Puebla usábamos el coche de Octavio. Nos llevaba Damián, que era su secretario o administrador, su hombre de confianza. Tardábamos casi una hora en llegar y Damián nos esperaba las tres que duraban las clases. Siempre tenía cosas que hacer. Misiones que le encomendaba Octavio, bancos, facturas, documentos. Una lista de encargos que le daban los trabajadores de la finca: piezas para una máquina, semillas, un herbicida o unas tablas. Y pequeños encargos que le hacía Remedios: la escoba, el jarabe, la confitura, el matamoscas. Mi madre también le pedía que por favor le buscase este libro, aquel cuaderno, lapiceros de colores y papeles de seda para hacer plegados.

Damián nos recogía en casa de doña Adela, que vivía muy cerca de nuestro colegio, «y así no esperan en la calle ni en la puerta, que no me gusta verlas allí solas ni es conveniente para unas señoritas». Doña

74

Adela nos daba un vaso de limonada y nos preguntaba qué tal las clases. Le explicábamos todo lo que quería saber. Que Nuria nos enseñaba lengua española y matemáticas y Gustav inglés y ciencias naturales. Y como no daba tiempo para más, por la tarde mi madre completaba el programa y nos enseñaba geografía e historia de España y México. Que a mí me gustaba mucho conocer las hazañas de los olmecas y de los zapotecas, del imperio azteca y de los mayas. Que teníamos libros con ilustraciones y que Octavio había prometido llevarnos con mi madre a visitar pirámides y templos cuando hubiera una buena ocasión...

«Y de religión nada, claro», decía doña Adela. Y suspiraba. Quería mucho a Merceditas y se conoce que no estaba conforme con aquella educación que su padre le proporcionaba. Pero era una buena mujer y nos trataba con mucho cariño a las dos. A mí me miraba a veces y me acariciaba el pelo y también suspiraba: «Anda que tú, pobrecita mía, tan niña y lo que has sufrido ya...»

Me gustaba aquella casa. Era grande, con habitaciones sombrías que olían a flores secas y a canela. Las cortinas estaban siempre echadas «por el ruido y el calor», decía doña Adela. Eran de la misma seda que la tapicería de las butacas. Había muchos cuadros, paisajes y retratos de señores serios con barba o perilla. «Mis antepasados», decía doña Adela, y levantaba la barbilla de un modo exagerado, como queriendo reforzar la importancia de esos señores. Merceditas y yo nos mirábamos y nos tapábamos la boca con la mano para que no se nos escapara la risa. En el portal de la casa había bancos oscuros y una puerta de hierro forjado que dejaba ver la calle cuando no estaba cerrada la otra, la de madera, tan pesada «que hay que cerrarla entre dos», decía Merceditas.

Al regresar a la hacienda subíamos por las vueltas y revueltas del camino. «Despacio, despacio», le pedíamos a Damián, porque íbamos mirando por la ventanilla hasta que perdíamos de vista la ciudad con sus casas apiñadas y las torres de sus iglesias abajo en lo hondo.

Estábamos aislados en la hacienda pero a mí se me pasaba el tiempo sin sentir. En los atardeceres rojos y calurosos, soplaba una ligera brisa que olía a tierra seca y me traía al recuerdo los veranos sedientos del pueblo de la abuela, cuando la tierra se cocía al sol y en las eras estaba el trigo listo para la trilla, y era alegre subir en el trillo y dirigir el paso de las vacas, empuján-dolas con el palo, hacia dentro o hacia fuera según lo exigiera el círculo.

En Europa seguía la guerra. Mi madre y Octavio oían la radio todas las noches para saber las últimas noticias. «Que no sé para qué a esas horas», protestaba Remedios. «Tienen ganas de irse a dormir con el cora-zón encogido...» Nos lo decía a Merceditas y a mí, porque no se hubiera atrevido a criticar así, abierta-mente, una costumbre de nuestros padres. Contrastaba la abundante charla de Remedios con el silencio casi total de los demás criados. Al principio yo creía que era por nosotras, porque no nos conocían, pero según Remedios «son callados de por sí, el indio es poco comunicativo, pero se ve enseguida si está contento o no, y ellos están contentos con ustedes, Juanita, te lo digo yo. Y eso que hace tu madre de la escuela, eso se lo agradecen aunque no lo sepan decir o no lo quieran decir, que el indio es callado pero también orgulloso. No es como yo, que aunque soy medio india tengo una vena española y he vivido en esta casa desde que nací, que ya mi padre era capataz de la hacienda. Sí, señor, Jacinto Fernández, originario de Asturias, España. Mi madre no, mi madre era india a secas. Se llamaba Edelmira de Atotonilco, así que yo me llamo Remedios Fernández de Atotonilco. Díganles a sus papás que les lleven a la iglesia de Santa María de Tonantzila y allí verán tumbas y tumbas de gente importante que les pasa igual que a mí: apellido español y apellido indio. ¿Qué les parece? Además que la iglesia es bonita, pero que muy bonita, qué dorados y qué altares con qué pinturas tan hermosísimas...» Nuestras charlas con Remedios eran por la noche. Mientras Octavio y mi madre escuchaban la radio, Merceditas y yo retrasábamos el momento de ir a la cama jugando en nuestro cuarto o leyendo cuentos. Pero lo que más nos gustaba era bajar a la cocina y ayudar a Remedios, que en aquel momento revisaba la ropa planchada, comprobaba que los zapatos estaban limpios o disponía lo que se iba a poner de comida al día siguiente. Las muchachas que la ayudaban se retiraban a dormir y era entonces cuando ella se sentía dueña y señora de su territorio. «Mañana pondremos sopa de pollo y una enchilada. Tu mamá nunca quiere opinar, dice que yo sé mejor que nadie lo que gusta en esta casa. Pero yo le digo, doña Gabriela, que ustedes tendrán otros gustos y otras costumbres. Y ella que no, que lo que yo haga bien está...»

Creo que uno de los aciertos de mi madre fue precisamente ése, no interferir con la omnipotencia de Remedios, lo cual le permitía además dedicar su tiempo a las cosas que de verdad le gustaban: leer, escuchar la radio, preparar los trabajos para los niños, y acompañar a Octavio a sus recorridos por las tierras de la hacienda o encerrarse con él en su despacho para ayudarle a contestar cartas, ordenar papeles y archivar recibos.

Cuando las noticias de la noche terminaban, se quedaban los dos un rato en la salita charlando o en silencio, según los días. Les oíamos comentar los sucesos, hacer suposiciones, lamentarse o exaltarse según el ritmo que fueran tomando los acontecimientos. Nosotras procurábamos deslizarnos cuidadosamente de la cocina al ancho pasillo, del pasillo a la escalera, de la escalera al primer piso donde estaban los dormitorios. Enseguida oíamos a Remedios pasar al comedor y asomar a la sala para dar las buenas noches y pedir instrucciones a mi madre. «Si hay algo que hacer que usted me lo diga o si algo está mal o escaso o falta algo para su mayor comodidad.» «¿Las niñas?», preguntaba mi madre, y ella decía con la mayor inocencia: «En sus recámaras, supongo. ¿Dónde si no, doña Gabriela?» Para entonces ya estábamos cada una en nuestra habitación, preparadas para recibir la visita rápida de mi madre y Octavio que nos deseaban las buenas noches.

Mi madre había escrito a España media docena de tarjetas comunicando su boda a los amigos más cercanos. Las respuestas fueron llegando lentamente. Primero escribieron los padres de Amelia. «Qué gran noticia, qué buena noticia para todos», decían. Se notaba que les complacía la novedad: se sentían ellos mismos parte responsable y su alegría parecía sincera. Luego escribió Eloísa. Una carta melancólica como ella. Una fórmula cortés de felicitación y luego mucha tristeza, mucho pesimismo. «En Los Valles ya nada volverá a ser como antes. La vida se ha endurecido notablemente. Me duele hasta ir a la iglesia, yo que siempre fui tan buena practicante. Pero no puedo soportar que se aproveche la casa de Dios para mantener vivos los odios.» La familia de Olvido envió una tarjeta deseando a mi madre «toda la felicidad posible». Los parientes, algunos tíos y primos con los que nunca tuvimos mucho trato se limitaron a enviar una postal, firmada por todos y con un solo texto: «Enhorabuena, querida Gabriela.»

Aquellas cartas aludían a personas y situaciones que yo había ido sepultando en el olvido. Era diferente la correspondencia que mantenía con Amelia desde que nos separamos. Le escribí en Lisboa, en el barco, y al llegar a México, un par de veces. Ella me contestaba pero las cartas tardaban tanto que nunca supe a cuál de las mías correspondía la respuesta.

A Amelia fue a la única que confesé mis primeras sospechas sobre el giro que tomaba la amistad de mi madre con Octavio. Fue una confidencia confusa, a raíz de una excursión que hicimos a Puebla a los quince o veinte días de llegar a México. «La hermana, doña Adela, es una señora gordita, muy compuesta y enjoyada. No se parece nada a Octavio, que es tan delgado y nervioso. Ella es tranquila y fue muy cariñosa con nosotras. Pero a ver qué opinas tú... En la sobremesa, doña Adela dijo: "Pues qué bueno que Octavio haya encontrado una española. Él siempre ha sido muy aficionado a la madre patria." ¿Crees que lo que ella quería decir es que son novios?»

Amelia me contestó un mes después diciendo que a lo mejor, que podía ser. Para entonces, ya mi madre me había hablado del noviazgo. «No sé si esto acabará en algo serio o no. Todavía no lo he decidido. Hay muchas cosas que poner en la balanza.» No me atreví a decirle nada. Tampoco yo había tenido tiempo de pensar los pros y los contras de una decisión tan grave: porque enseguida se me hizo evidente que el final «serio» al que aludía mi madre era, sin lugar a dudas, el matrimonio.

A veces tenía miedo de perder el pasado. Por eso le pedía a mi madre que me hablara de las cosas que yo recordaba y temía olvidar y de las que nunca había sabido. Soñaba con la abuela. Los sueños se desarrollaban siempre en el mismo escenario: la casa del pueblo. Veladamente le reprochaba a mi madre la venta de aquella casa. «Si un día volvemos, ¿adónde iremos?», le preguntaba. Y ella me decía: «El mundo es patria... no te aferres a las patrias pequeñas.» Pero yo lo necesitaba. Trasplantada bruscamente a otra tierra necesitaba esa primera sustancia, ese alimento primero para completar el ciclo de mi crecimiento.

Una tarde se presentó doña Adela sofocada y suspirando en su automóvil, que conducía un chófer viejo, un poco encorvado. «Espérame en el coche pero busca una sombra, Manolito», ordenó. La pasaron al salón de recibir y allá fueron Octavio y mi madre. Merceditas y yo nos acercamos a darle un beso pero enseguida nos despachó: «Vosotras a jugar, ángeles míos, que los mayores tenemos que hablar...»

Nos quedamos escuchando debajo de la ventana hasta que nos aburrimos de lo que oíamos porque lo repetían muchas veces, diciendo lo mismo de distinta manera. Doña Adela estaba seria, aunque no enfadada. «Que tú no conoces esto, Gabriela, que está muy mal visto que tú te prepares tu escuela y enseñes a los indios lo que no les interesa... Que me dicen los padres que a qué viene ese afán teniendo ellos colegios suficientes donde acoger a estas criaturas... que aquí no parece bien eso de no enseñarles la santa religión, Gabriela... que me adelanto porque vas a tener cualquier día la visita del enviado de Instrucción a ver qué es eso de hacerte tú la salvadora de estos niños... Encima viniendo de España, que lo menos que dirán es que eres comunista.» A doña Adela era a la que mejor oíamos porque estaba del lado de la ventana. Mi madre apenas hablaba y Octavio sí, Octavio le replicaba a todo y le decía: «Quédate tranquila que ya recibiremos a quien venga a visitarnos... pero vete diciendo a quien te pregunte que necesitamos muchas escuelas como esta de Gabriela para que todos aprendan lo que necesitan aprender, Adelita... Ya sé que no todos opinan lo mismo. Pero somos muchos los que estamos de acuerdo y mucho lo que van cambiando las cosas...» Cuando se fue, doña Adela nos dio un beso y una moneda a cada una «para que compráramos lo que quisiéramos». Llamó a Manolito, que se había dormido dentro del coche, y se volvió a Puebla. Yo pensé que, verdaderamente, una ciudad con tanta iglesia no iba a estar conforme con que a los niños no se les enseñase a rezar. Se lo dije a Merceditas y ella me miró con sus ojos tan negros y tan grandes, y me contestó: «Es verdad, pero esas iglesias las hicieron los españoles...»

Mi madre y Octavio se habían quedado en la puerta despidiendo a doña Adela hasta que el coche se perdió en la lejanía. Octavio sonrió y le dio a mi madre un golpecito en el brazo. «No te preocupes», dijo. Mi madre sonrió también, pero un poco triste. «Es la historia de mi vida; moriré luchando contra los mismos molinos.»

Remedios tenía razón: los indios de la hacienda estaban contentos con mi madre. Lentamente los niños progresaban. Aprendían a leer y escribir y también a hablar porque muchos tenían dificultades para expresarse en español. Mi madre adquiría nuevos libros para que leyesen los más avanzados. Les explicaba ciencias naturales, les hablaba de su geografía y de su historia. También dedicaba tiempo a los trabajos manuales, a la pintura, a la música. Les enseñaba canciones y les pedía que ellos cantaran las suyas. Las madres empezaron a acercarse, tímidamente, a la escuela. Primero fueron dos o tres. Sin palabras, con una cautelosa sonrisa, se quedaban a la puerta trasera de la casa, la puerta de la antigua capilla, y al salir mi madre retrocedían un poco, dejaban un espacio entre ellas y la mujer que ayudaba a sus hijos. No sabían decirle, ni explicarle, pero querían verla y mostrarle con su presencia un reconocimiento silencioso. Un día se habían reunido varias, sentadas en el suelo, arrebujadas en sus vestidos de percal, apoyadas en la pared de la casa, que les protegía con su sombra y sobre todo queriendo pasar desapercibidas. Una fila de cabezas oscuras inclinadas, los brazos cruzados, las manos ocultas bajo las axilas, las piernas escondidas bajo la falda. Una fila de cuerpos temerosos, encogidos sobre sí mismos. Fulgencio, el capataz, apareció de pronto ante ellas. Venía dando la vuelta al edificio, se acercó y les gritó una orden escueta, acompañada de un gesto enérgico. Se levantaron y se fueron con un breve trote asustado en el instante justo en que mi madre alcanzaba la puerta a tiempo para verlas, para percibir el gesto iracundo de Fulgencio, la rabia con que mordía un tallo seco girándolo entre los dientes amarillos. «¿Qué ocurre?», preguntó mi madre. «Nada, doña Gabriela, que hay que marcar un límite a esta gente si no quiere usted que un día se le metan en casa, poquito a poco, y hasta se sienten a su mesa...»

Aquella tarde después de nuestras clases llegó Octavio a caballo acompañado de Damián. Entró en la sala y preguntó: «¿Qué tal el día?... tan largo y caluroso... Hay problemas abajo. La tormenta de anoche arrasó la ladera del sur, está muy expuesta...» Pequeñas informaciones que Octavio daba cada día al regresar de sus visitas. Y allí estaba mi madre un poco tiesa, un poco rígida, con la actitud que solía adoptar cuando quería mostrar su descontento. Él se dio cuenta y se interrumpió para decir: «¿Qué ocurre?» Me hizo gracia que la pregunta fuera la misma que ella le hizo a Fulgencio. No contestó a Octavio. Se dirigió a nosotras y nos hizo una seña para que nos fuéramos.

«Jugad un poco ahí fuera o en vuestro cuarto.» Yo no sé lo que le dijo ni cómo planteó su desacuerdo con la expulsión de las mujeres, pero la discusión, si la hubo, debió de durar poco, hasta la hora de la cena que se servía temprano.

El enfrentamiento de mi madre con el capataz de Octavio se repitió en varias ocasiones. Una de ellas fue especialmente grave. Mi madre se enteró por los niños de la verdadera angustia de sus padres: las deudas con la hacienda Guzmán, que nunca lograban liquidar. Con el consentimiento de Octavio, un consentimiento tácito derivado de la inercia que rige las costumbres, el capataz se ocupaba del economato que abastecía a los peones. En el economato todos tenían cuenta y si no pagaban, parte del salario se iba quedando allí. Esto suponía una forma de esclavitud, ya que el endeudado no podía reclamar ni protestar, ni abandonar la hacienda prácticamente de por vida.

Mi madre no estaba de acuerdo con ese planteamiento. Además, decía, una buena parte de estos hombres no saben leer apenas y se les puede engañar fácilmente. Octavio hizo indagaciones y resultó cierta la sospecha. Las cuentas se engrosaban día a día por encima de las compras reales. Octavio montó en cólera y después de una larga conversación despidió al capataz, hijo del que había sido capataz de su padre. «Un hombre bueno», decía Remedios, «un santo varón, no como éste, que es un granuja más picotero que el jijén.» A solas con mi madre, le pregunté: «¿Cómo es posible que Octavio no supiera que ese hombre era tan malo?» Mi madre suspiró y me dio como siempre una respuesta clara. Octavio consentía. Como su padre y su abuelo, dejaba en manos del capataz determinadas funciones, sin plantearse que algo podría fallar: «Ese consentimiento es uno de los males que sufren los que trabajan la tierra en este país.»

En invierno hacía frío. No el frío al que estábamos acostumbradas. Pero sí el suficiente para encender la chimenea y abrigarse un poco más. Estábamos sentados en torno a los leños encendidos y yo me sentía feliz. Me alegraba el cambio después del calor excesivo del verano. Entonces dijo Octavio, dirigiéndose a mi madre: «Tengo que ir a Ciudad de México. ¿Quieres venir conmigo?» Yo pensé: «Ojalá no vaya.» Todavía me sentía insegura para afrontar la ausencia de mi madre. Temía que le ocurriera algo, temía perderla y no podía soportar la idea de tener que quedarme a

85

vivir en la hacienda sin ella. Mi madre dijo que sí, que iría, sin dudarlo un momento, sin buscar mi aprobación o mi disgusto. Se fueron y me quedé con la conocida sensación de vacío, el hueco angustioso de las separaciones. Por la noche tuve miedo. Me concentraba en los ruidos y trataba de descifrarlos. Imaginaba el dormitorio vacío de mi madre y Octavio. Su sola presencia en aquel cuarto me daba tranquilidad. Si algo sucedía podía correr hacia ellos, gritar, pedir ayuda. Sólo estuvieron fuera dos noches y al tercer día, cuando oí el ruido del motor del coche, todavía tuve un momento de congoja. ¿Y si venía Octavio solo? ¿Y si mi madre estaba enferma o herida en un hospital o detenida por un contratiempo inesperado? Había oído decir que algunos españoles tenían problemas con los pasaportes... Fue sólo un momento porque enseguida, los dos, felices y contentos, descendieron del coche con muchos paquetes. Me agarré a mi madre y frotaba la cara en su manga mientras el corazón me golpeaba rápido, rápido.

De Ciudad de México, aparte de regalos y material para la escuela, trajeron noticias. De los amigos, de cómo les habían obsequiado, de una obra de teatro que habían visto, de los españoles exiliados. Lo comentaban entre ellos, reían, discutían. Me tranquilizaba comprobar el cambio de mi madre. Su matrimonio la había transformado en una mujer diferente. La veía alegre, habladora, animada. Y mucho más guapa. Le chispeaban los ojos, la piel se le había vuelto sonrosada y sus movimientos eran sueltos y libres. Yo me daba cuenta de que ese cambio se lo debía a Octavio. Octavio era un hombre inteligente, fuerte, bueno. Un hombre que la eligió contra toda previsión, porque ¿no podía encontrar él otra mujer más joven, sin hijos, sin tristezas si quería volver a casarse? Octavio nos había proporcionado una vida cómoda y un porvenir seguro. De no ser por él viviríamos sometidas a la inseguridad material y a los bandazos emocionales de los exiliados, siempre a vueltas con la neurosis del regreso.

La relación entre nosotros cuatro fue un acierto desde el primer momento. Merceditas mostraba a mi madre la misma confiada actitud que a mí me inspiraba Octavio. Eran Gabriela y Octavio para nosotras. Octavio no era mi padre y mi madre no era la mamá de Merceditas. La ausencia de los muertos era irremediable. Al casarse nuestros padres se había creado una nueva estructura familiar, pero los antiguos núcleos seguían existiendo. Era ahí, en esas ligazones previas, donde estaba la raíz del distanciamiento y también del respeto que garantizaba nuestra convivencia. Mi madre y yo adquirimos la costumbre de pasar algún tiempo solas, en la salita de mi madre o en el patio recién regado, y el balanceo de las mecedoras que Remedios nos colocaba en el lugar más fresco, marcaba el ritmo de nuestra cercanía. Merceditas aceptaba estos momentos. Jamás vino a buscarme para jugar o hacer deberes si me veía con mi madre en actitud de confidencia. La mayoría de las veces no había revelaciones concretas. Era más bien un abandono, una tranquilidad, la calma de una intimidad compartida. Yo sabía que también Merceditas tenía esos arrebatos de comunicación intensa con su padre. A su manera los dos establecían una familiaridad inexpugnable. Como nosotras, compartían un pasado y los secretos de ese pasado. Por otra parte mi madre y Octavio parecían felices. Su unión mostraba todas las señales de la armonía y su equilibrio creaba a nuestro alrededor un clima de bienestar. Y entre nosotras, las niñas, las nuevas hermanas, había nacido un vínculo singular. Los dos años que yo llevaba a Merceditas me situaban en un plano de superioridad que no hice valer en ningún momento. Al contrario, la niña despertaba en mí ternura, deseos de protección, todos los sentimientos que produce un ser más débil que nosotros. Por lo demás, el carácter pacífico y complaciente de Merceditas, su sensibilidad para captar los estados de ánimo de los demás, y su ausencia de susceptibilidad me invitaron a quererla sin reservas y a compartir con ella periodos luminosos y otros sombríos de nuestras vidas.

«De un tirón, imposible. Haremos noche en el camino», dijo doña Adela. «Además, Ramón no está acostumbrado a conducir tantos kilómetros seguidos. Y si va Manolito, no cabemos...»

Era abril, hacía poco que había sido mi doce cumpleaños y el tercer aniversario del casamiento de mi madre con Octavio. Unos rumores, la apreciación de un viajero visitante de la hacienda Durán, la hacienda del padre de Rosalía, habían sembrado la inquietud entre los familiares de Octavio. «Se acabó el algodón, dicen que ya no plantan algodón...» «Andan mal por allá abajo. Han despedido a los peones más fieles...» «El señor Tomás ha metido allí a una mujer que lo maneja todo. La tiene en una choza cerca de la casa, pero ella pone y dispone, y quita lo que quiere...» El administrador seguía enviando con regularidad las cuentas claras, detalladas. Si algo iba mal, nadie sabía exactamente qué. Octavio dijo: «Deberías ir.» Se lo dijo a don Ramón, que miró a su hermana desolado. Doña Adela replicó: «Deberíamos ir los dos, él y yo.» Primero fue escribir y anunciar la inminente llegada de los señores. Después la respuesta del señor Tomás: «Qué bueno, tanto tiempo sin verles, que ya les estaban preparando las recámaras.» Después fue la intervención de Rosalía: «¿Y por qué no voy yo? ¿Y por qué no vienen las primas que tanto les va a gustar conocer aquello?» Insospechadamente, Octavio y mi madre accedieron al capricho de Rosalía. «Pues, bueno, que vayan, ya no son tan pequeñas...», dijo Octavio. Mi madre objetó débilmente acerca de la salud y de los peligros, pero doña Adela no la dejó continuar. «No es tan salvaje la hacienda, Gabriela, que mi niña y yo vivimos en ella mucho tiempo, que la de México no es la selva amazónica...» Y así fuimos llegando a la última decisión: «Haremos noche por el camino. De un tirón, imposible...»

Dos días completos, con sus correspondientes paradas para comer y dormir, nos costó el viaje. Desde Oaxaca −«ya vendremos otra vez, Juana. La ciudad más hermosa de México»− salimos a una carretera con muchas curvas y cuestas. Apenas encontramos coches, sólo alguna camioneta renqueante cargada de madera. Y campesinos en sus burros. Parecían dormidos; avanzaban despacio con la cabeza gacha, oculta por el amplio sombrero atravesando, como nosotros, la Sierra Madre del Sur. Desde los áridos riscos, descendimos después a un territorio verde, llano y frondoso. En un punto de la carretera, pasada una ermita en ruinas cubierta de vegetación, una flecha, toscamente pintada, indicaba «A la hacienda Durán». Era el comienzo de un camino estrecho, lo justo para que pasara el automóvil. Las copas de los árboles formaban un túnel que ocultaba la luz. Al cabo de un buen rato entramos en un espacio despejado. Al fondo, una cerca blanqueada marcaba el comienzo de la finca. Por un paseo de palmeras llegamos hasta la casa, rosada, con dos escalinatas curvas que confluían en el porche principal. La puerta se abrió y allí estaba el señor Tomás sonriente, con el sombrero en la mano, esperándonos.

Desde el primer momento me sentí atrapada por el mundo que acababa de descubrir. Recuerdo la primera noche que pasé allí. Las aspas del ventilador giraban en el techo de mi cuarto. La gasa finísima del mosquitero se movía leve, al paso del aire. Me envolvían las sombras y un murmullo de vida nocturna se diluía en el vaho vegetal, casi líquido, que penetraba por la malla de las ventanas. Una mariposa, que había quedado encerrada en la habitación, golpeó aturdida el mosquitero. Era grande y pude ver sus manchas brillantes a la luz de una luna aparecida entre jirones de neblina. Me hubiera gustado moverme, abrir la ventana, liberar a la mariposa extraviada. No me decidí. No tenía miedo; era una deliciosa laxitud que me embargaba. El cansancio del día y el zumbido del ventilador me fueron sumergiendo en un sueño profundo.

90

El amanecer fue deslumbrante. Durante la noche había llovido y el sol lucía en un cielo limpio. No lejos de la casa, se extendía la selva. «El capataz las lleva a dar un paseíto», dijo el señor Tomás... «No tiene trabajo urgente, no. Su mejor trabajo es complacerlas.» Desayunamos ensalada de frutas y café con leche y bollos, y nos subieron a una camioneta cubierta de lona. «Las llevaré hasta el poblado Durán, que está cerquita», dijo el capataz, un mulato grande, muy complaciente. Se dirigía siempre a Rosalía: «Ha crecido usted mucho, señorita. ¿Recordaba la hacienda?» Por el camino atravesamos puentes sobre ríos secos o inexistentes. Entre los árboles se veían chozas de palma trenzada con hamacas colgadas a la entrada. En un bosque de palmeras abrazadas y asfixiadas por otros árboles, había una explanada: el comienzo del poblado Durán. A la puerta de una choza un viejo tallaba un tronco retorcido. Tenía algunas figuras terminadas, colocadas ordenadamente en el suelo: una paloma, un diablo, un pescado con forma de dragón. «Los pinta con colores que saca de las plantas», nos explicó el capataz. El viejo nos regaló limones y nos enseñó sus obras cuidadosamente.

Al día siguiente nos llevaron a la laguna, la parte ensanchada de un río que se pierde en la selva. En el centro de la laguna había una pequeña isla. La rodeamos en una barca de remos. La pájaros, águilas, garzas, pelícanos huían ante nuestra proximidad. Los arbustos, enormes, entraban en el agua, y sus raíces se enredaban unas con otras formando una verdadera red. En los árboles, ceibos y cedros, se veían las bolsas negras de los hormigueros gigantes. Al regresar por un camino diferente, vimos nuevos poblados. Los niños convivían en absoluta libertad con los cerdos, los pavos y los cabritos. El sol quemaba y las moscas se detenían sobre los restos de un animal muerto al lado del camino.

Cuando llegamos a la casa, doña Adela, don Ramón y Tomás tomaban café en la sala. Parecían satisfechos. La palabra la tenía Tomás y don Ramón asentía: «... y vean ustedes, pues, cómo es prudente el cambio cuando el cambio se ve necesario, y si no queremos guerra habrá que buscar paz..., que ya recuerdan que el indio de estas zonas anda rebelde de años y años..., que el mulato y el negro se adaptan a esta tierra pero que muy rebién.»

Desde la ventana de mi cuarto contemplé el atardecer. El sol iba desapareciendo más allá de la llanura poblada de verdes. Cuando el disco rojo se fue ocultando, el cielo se volvió rosa, asalmonado, vainilla.

Rosalía me recordaba mucho a Olvido. Siempre hablaba de novios y de bodas. El matrimonio era una obsesión. «Cuanto antes mejor. Así tienes hijos joven», decía. Y, misteriosa, me susurraba al oído: «Una amiga mía se ha casado con dieciséis cumplidos. Ya sabes...», insinuaba pícara. Yo no sabía pero ella trataba de explicarme, mimaba el embarazo con gestos cómicos. Luego aclaraba con palabras: «De tres meses, mujer...»

Mi grado de inocencia era exagerado. Pero ya Rosalía, como Olvido en su día, trataba de iniciarme en los secretos a voces de la vida. Fue a Rosalía a quien tuve que acudir para contarle a medias asustada, excitada a medias, que allí, en la hacienda de su padre, había llegado el momento de confirmar mi feminidad. El segundo día amanecí con las sábanas manchadas de sangre. Rosalía y su madre me consolaron y me dieron consejos risueños salpicados de interpretaciones jocosas: «Que ya te visitó el caballero de la casaca roja..., que ya está la tierra lista para la siembra.» Con esa información previa, a mi madre le costó poco trabajo aleccionarme de forma científica sobre lo mismo.

El día que Rosalía cumplió quince años, pocos meses después de nuestra excursión, se celebró una gran fiesta. Era, me explicó mi madre, una costumbre en ciertos ambientes para presentar en sociedad a las jóvenes. A partir de esa «fiesta de quince», los pretendientes, incluso los novios, eran aceptados.

«Tú vendrás a mi fiesta», dijo Rosalía. «Merceditas es muy pequeña pero tú ya vas siendo grande.» Al final fuimos las dos y permanecimos sentadas con los mayores, observando el ir y venir de Rosalía. Llevaba un traje blanco de organdí, con la falda muy hueca, flores en el pelo, un collar de perlas, sortijas y pulseras. Las amigas también vestían trajes de fiesta, azules, rosas, beige. Ellos iban de oscuro, muy peinados, muy puestos. Hubo uno, sólo uno, que vino a buscarme con una copa de ponche en la mano: «¿Quieres?» Yo moví la cabeza, rechazándolo. Y él continuó: «¿Tú eres la española?» Roja de vergüenza, asentí con otro movimiento de cabeza. Se sentó a mi lado, en la silla que una señora había dejado momentáneamente vacía, y trató de conversar: «A España pienso ir un poquito más

93

adelante. A Sevilla, a Granada, y a Madrid a los toros.»
En voz baja murmuré: «Ahora, con esa guerra...» Él se
echó a reír: «Claro que ahora no. Pero algún día termi-
nará la guerra. Además ahora estoy arriba con los
gringos estudiando en un internado...» Enseguida se
acercó una muchacha y le cogió de la mano: «Ande,
vamos a bailar.» Me dijo adiós y se incorporó al grupo
de danzantes. Giraban todos enloquecidos al son de
una música rápida, que brotaba del gramófono colocado en una esquina del salón.

«Tiene quince también», me explicó Rosalía días
después. Es hijo de un petrolero pero la familia de la
madre es de aquí. Mucha plata, mucha...», repitió ad-
mirativa. Y luego pasó a sus chanzas habituales. «Mírala ella, tan modosita, y viene a quitarnos novios a las
mayorzotas...»

Durante muchos días pensé en él. Una nueva sensación de dulzura y alegría me invadía. Tardaba en dormirme por la noche y pensaba en aquel chico cuya
fugaz aparición me había trastornado. ¿Le volveré a
ver?, me decía. ¿Me dejará mi madre dar una fiesta de
quince años? Hablaré con Rosalía para que le invite...
Sólo faltaban dos años y medio para que llegara ese
momento. Miré hacia atrás y pensé que otro tanto hacía que estábamos en México. Habían pasado casi tres
años en los que no podía quejarme de nada. Nuestra
vida se deslizaba suavemente, acolchada y sin estriden-
cias. El día de nuestra llegada estaba ya lejos. Y también España había quedado atrás, quizás para siempre.

Nuestros estudios de secundaria iban bien, apoyados y reforzados por la intervención de mi madre. Yo leía mucho y sin darme cuenta iba aumentando mis conocimientos. Mi madre me daba a leer poesía española y una profunda nostalgia me asaltaba. Atravesaba una etapa muy inestable. Lloraba o reía con el menor pretexto. «Es la edad», decía mi madre. Pensé escribir a Amelia para tratar de explicarle lo que me pasaba, pero últimamente nuestras cartas se habían ido espaciando. «El tiempo», decía la abuela, «lo allana todo, lo apisona todo.» Ahí estaba la raíz de la angustia que unida a la melancolía de la adolescencia me sumía a ratos en un sopor salpicado de suspiros.

No sólo la poesía contribuía a mis exaltaciones. Había un tipo de lectura, semiclandestina, que Rosalía me proporcionaba. Eran novelas de un español, Rafael Pérez y Pérez, que leían mucho las chicas mexicanas. Había una *Duquesa Inés* que me entusiasmaba. Trataba de una maestra que había entrado de institutriz en la casa de un duque cuya mujer estaba gravemente enferma. Inés se hace cargo de los niños y cuando la mujer muere, el duque, enamorado de su bondad y belleza, la convierte en duquesa ante la oposición de la aristocrática familia. Mi madre no era partidaria de este tipo de novelas. «Te llena la cabeza de pájaros», decía. «Además esos mundos no son reales.» De modo que empecé a leerlas a escondidas y a recoger otras nuevas de manos de Rosalía, también a escondidas.

«Lo de tu madre es una novela de Pérez y Pérez», me dijo un día Rosalía. «Casarse con un viudo, mexicano y rico, en su situación...»

Estoy segura de que no pretendía ofenderme, pero lo hizo. Dejé de pedirle sus novelas y regresé a mi madre en busca de consejo. «Puedes leer muchas cosas, buenas y entretenidas.» Me dio *El gran Meaulnes*, *David Copperfield* y el *Primer amor* de Turgueniev.

Gustav y Nuria, el matrimonio que nos preparaba para los exámenes anuales de secundaria, venían a cenar con cierta frecuencia. Mi madre había encontrado en Nuria una amiga con la cual podía charlar de modo más abierto y sincero que con las mujeres que se movían en el ambiente familiar de Octavio. También el propio Octavio encontraba satisfactoria la amistad con la pareja. El dolor de Gustav ante la destrucción de su país se veía aliviado por el avance indudable de los aliados. Me gustaba oírles hablar y mi madre me dejaba quedarme un rato después de la cena. A veces venían con algún otro amigo.

Su casa se había convertido en una especie de consulado de los desamparados europeos, sobre todo de los españoles del exilio. Un día fui testigo de un enfrentamiento entre mi madre y una de estas amigas exiliadas, la mujer de un profesor de historia que trabajaba en un archivo. La conocíamos ya de otras ocasiones y siempre había dado muestras de descontento y amargura. Su marido, por el contrario, era un hombre tranquilo y pacificador. Aquel día, como siempre, se acabó hablando de España. Inesperadamente la mujer dijo: «Todos los que se han quedado dentro son unos traidores.» Lo dijo con rabia, con una suerte de resentimiento. Se hizo un silencio instantáneo pero enseguida intervino mi madre, aunque nunca había sido discutidora ni agresiva. «Todos no», dijo con firmeza. Yo sabía que estaba pensando en Eloísa, en los padres de Amelia. «¿Por qué has venido tú, entonces? Yo creía que habías venido porque te faltaba el aire y te sobraba la vergüenza para convivir con los asesinos de tu marido...» La mujer estaba exaltada. Le brillaban los ojos con furia. Había tomado una sola copa de rompope, el ponche inofensivo que hacía Remedios. Los demás escuchaban apesadumbrados. Mi madre estaba tranquila: «Hace falta tanto valor para irse como para quedarse», aseguró. «Hace falta mucho coraje para seguir viviendo allí sin rendirse por dentro.» En aquel momento, Octavio miró el reloj y dijo: «Perdónenme que es la hora del noticiero.» Y se fue hacia la radio. «Los aliados han invadido esta madrugada Normandía...» La tensión se deshizo como por encanto y la conversación se convirtió en una llamarada de esperanza.

«Doña Gabriela, si yo le dijera...», empezó Remedios. Se quedó con la frase en el aire, las manos entrelazadas en la cintura, la sonrisa esbozada a medias. «¿Qué tiene que decirme, Remedios?», preguntó mi madre. «Mañana lo verá usted, no se lo digo.» Al día siguiente era el cumpleaños de mi madre. Nos despertamos temprano, como todos los días. Era lunes y había que ir a Puebla, a las clases. Estábamos vistiéndonos cuando por toda la casa resonó una canción. Era una canción que yo conocía bien, pero aquello era otra cosa. Se oía música y muchas cosas, finas y suaves la mayoría, que sonaban unidas en un armonioso conjunto. Al bajar las escaleras, mi madre ya estaba allí en el amplio zaguán, rodeada de niños:

> Éstas son las mañanitas
> que cantaba el rey David
> a las muchachas bonitas
> se las cantamos así...

Algunos hombres tocaban la guitarra. Las mujeres callaban. Se acercaron a mi madre y le fueron entregando sus regalos, una a una, como en una ofrenda. Mi madre no lloraba nunca, pero vi un brillo húmedo en sus ojos. «¿Lo ve, doña Gabriela, lo ve como tenía que esperar?», decía Remedios. Ella sí lloraba, conmovida y orgullosa del homenaje. Después, como todos los días, los niños se fueron a la escuela. De la cocina de Remedios salieron dulces y refrescos y la fiesta continuó toda la mañana.

Por entonces, los niños eran cerca de cuarenta. Cuando se abrió la escuela habían acudido sólo diez. Aquel éxito tuvo sus ramificaciones. Los mayores, chicos de trece y catorce años, que ya sabían leer y escribir con soltura y hacer operaciones matemáticas, dejaron de asistir a las clases. Muchos empezaron a trabajar en la hacienda, en los almacenes, donde ayudaban a pesar y medir, a marcar los sacos, a hacer el cálculo de lo recogido. Algunos, animados por parientes o conocidos, se fueron a la ciudad. «Se puede conseguir tantas cosas sabiendo leer y escribir», decía Remedios. «El que no sabe es ciego y mudo, doña Gabriela, usted está haciendo un milagro...» No todos opinaban lo mismo.

Un día se presentó en la hacienda un personaje vestido de oscuro, con corbata y sombrero y una carpeta en la mano, que preguntó por Octavio. Como no estaba se quedó esperando «porque», dijo, «es con él con quien necesito hablar». Le esperó durante un largo rato, y al verle aparecer se dirigió a él con tono misterioso: «¿Señor don Octavio? Necesito hablar con usted...» La entrevista no duró mucho. El hombre se fue andando por donde había venido, hasta el camino por el que pasaba el viejo coche de línea que se dirigía a Puebla. Cuatro kilómetros de andadura y un par de horas de espera al sol.

Como había pronosticado doña Adela, el inspector informó a Octavio que tenían quejas serias de la escuela de mi madre. La coeducación estaba prohibida en todo el territorio. Aparte de otras consideraciones, aquello tenía que terminar, por la moral y buenas costumbres. Separarían a los niños de las niñas y se abriría una investigación para ver si el ministerio podía autorizar una escuela doméstica que no tenía permisos ni controles. Mi madre se limitó a decir: «Podían haber enviado antes a alguien para comprobar que aquí había cuarenta niños analfabetos.»

No se supo el origen de la denuncia que motivó la visita del inspector de Instrucción. Pero la denuncia había existido. Octavio tuvo que mover muchos hilos. Llamó a muchas puertas de caoba, visitó muchos despachos regiamente decorados hasta que logró convencer a quien correspondía, «de la utilidad y el servicio de una pequeña escuela primaria, asentada en una hacienda, sin costo alguno para el gobierno y con la garantía de una maestra titulada que venía de España como tantos a compartir su esfuerzo con nosotros».

Todo quedó resuelto con una condición, la separación de niños y niñas. «En eso no podemos hacer nada, Octavio, nada desde que salió la nueva Ley», le dijeron. Esta nueva exigencia llevó a mi madre a transformar su escuela y a darle un nuevo giro. Necesitaba otro local. Un pabellón separado de la casa con dos alas, niños y niñas. La antigua escuela situada en la capilla quedaría para actividades comunes, porque mi madre se negó a aceptar una separación total. Octavio accedió a construir la escuela. Otro problema vino a surgir con la separación: mi madre necesitaba ayuda. A través de Nuria buscó otra persona que quisiera vivir en la hacienda de lunes a viernes.

A medida que mi madre se afincaba más en la hacienda y organizaba su vida de modo definitivo, yo me iba alejando de ella. La adolescencia marcó el principio de mi deseo de separación. Mi madre seguía siendo la persona más importante para mí, pero yo necesitaba respirar por mi cuenta, vivir, experimentar.

No podía hablar de esto con nadie. Rosalía seguía con sus sueños de un matrimonio tradicional, su deseo de convertirse en ama de casa sin la más mínima curiosidad por estudiar y viajar. Merceditas era muy niña todavía y esperaba la voz del padre que marcara el camino a seguir.

Oportunamente, vino a entrar en nuestras vidas la persona que yo necesitaba. Se llamaba Soledad y era perfecta, según Nuria, para ayudar a mi madre en la escuela. Había nacido en Veracruz pero vivía en Ciudad de México con un hombre que luego la abandonó. Había hecho una licenciatura en Letras y se interesó por el trabajo porque, según Nuria, quería salir de la ciudad, donde no podía dar un paso sin encontrarse con su antiguo amor, un personaje muy representativo del mundo intelectual. Soledad estaba dispuesta a vivir en la hacienda, no de lunes a viernes sino toda la semana. Cuando entró en nuestra casa por primera vez me quedé sin aliento. Era la mujer más guapa y más interesante que había visto en mi vida. Aceptó las condiciones y se quedó. Poco a poco fuimos descubriendo sus numerosas cualidades. Tocaba el piano, bailaba ballet, hablaba francés, recitaba, cantaba, se movía con gracia y sonreía a todos como diciendo: «Bien, aquí me tenéis, dispuesta a haceros la vida más alegre.» A mí me deslumbró. Mi madre vio enseguida la cantidad de posibilidades nuevas que ofrecía a la escuela la colaboración de Soledad.

Octavio la aceptó con cortesía y una sombra de distanciamiento que marcaba siempre su relación con los demás. Merceditas, como su padre, se mantuvo al principio reservada, pero no tardó mucho en entregarse al encanto de la recién llegada. Fue Remedios quien hizo, como siempre, un análisis original de la situación: «Digo yo, mis niñas, que ¡poco bien que va a estar el señorito Octavio con tanta mujer! Me lo veo ya presidiendo la mesa y ustedes cuatro, alrededor, halagándole...»

Soledad transformó nuestras costumbres sin intentarlo y, desde luego, sin consultárnoslo. En principio el almuerzo se retrasó porque se alargaron las horas de clase. Al final de la mañana, reunía a niños y niñas en la antigua capilla y durante un rato les enseñaba a cantar. Hizo bajar del primer piso el piano que no se usaba y dijo: «Quiero hacer un coro.»

Por otra parte, a primera hora de la mañana sacaba a todos los niños al patio de la parte trasera y hacía gimnasia con ellos, antes de empezar las clases. Luego trabajaba con las niñas mientras mi madre se ocupaba de los niños, cada una en su aula.

Mi madre estaba contenta. Era el tipo de ayuda que necesitaba, una persona joven, llena de entusiasmo y de recursos, y con sus mismas ideas sobre educación. Después de comer, la sobremesa se prolongaba un buen rato sin que nadie pensara en retirarse como hacíamos antes.

Soledad nos mantenía a su lado cautivados por su charla. Hablaba de personas conocidas de todos, personas públicas que tenían un relieve en la vida mexicana. Y de personas desconocidas, amigos suyos de los que contaba anécdotas divertidas o terribles. Ilustraba la conversación con citas literarias o con reflexiones filosóficas.

A Remedios la volvía loca. «Remedios, cuando quieras te enseño a hacer crochet... Remedios, te cortaré el vestido después de cenar... Remedios, tienes que hacerme las papas con dulce y frutas que se te dan tan bien...» Se dirigía a todos con soltura. Tuteaba, abrazaba, besaba. Un día, al poco tiempo de estar Soledad instalada en nuestra casa, vino doña Adela a comer. «Yo creo que vino a observar», nos dijo Remedios aquella noche, mientras la ayudábamos a recoger la ropa planchada. «Venía a ver qué pasa con la señorita Soledad. Que estoy segura de que no le gusta porque habla mucho y nos trata a todos con el tú...»

Abandonamos a Remedios enseguida y volvimos al comedor, donde aún seguían hablando los mayores. Sobre todo Soledad. «Frida Kahlo es una mujer impresionante», decía. «Además de ser una gran artista, ese amor tan grande con Diego Rivera, sólo imaginarlo se me pone la carne de gallina...» Echaba hacia atrás su melena negra. Miraba a lo alto unos segundos y regresaba a tiempo para fijarse en nosotras, que habíamos entrado en silencio y nos quedábamos de pie esperando para pedir, en alguna pausa, «un ratito más, por favor».

El óvalo del rostro de Soledad era perfecto. Los brazos largos, las manos finas. Su cuerpo se movía en un baile permanente pero natural. Como se mueven los pájaros cuando vuelan o los peces cuando nadan. También como el gato de Remedios, cuando se deslizaba por la tapia del patio con su balanceo mesurado, observando.

Al paso de los años, cuando rememoro aquellos hechos y evoco a las personas que fueron sus protagonistas, me pregunto: ¿Cómo es posible que conviviéramos tan estrechamente con Soledad y supiéramos tan pocas cosas de ella? Porque Soledad, que hablaba tanto de otras gentes, apenas aludía a sí misma; rara vez dejaba traslucir algún dato que permitiese identificarla. Sólo algunas noticias escuetas: un padre muerto, una madre y un hermano que vivían en Veracruz, sus estudios universitarios. Nada más. Ninguna anécdota que añadiera calor biográfico a su pasado. Ninguna confidencia espontánea que pudiera permitirnos imaginarla en su vida anterior. Encerrados en la hacienda, con tan pocas oportunidades de salir de nosotros mismos, Soledad nunca tuvo un momento de desánimo que la impulsara a un desahogo emocional.

Los días pasaban y la brillante personalidad de Soledad seguía ejerciendo su fascinación sobre nuestra familia. Es verdad que doña Adela, a raíz de su visita, había dado muestras de desagrado. «Me han dicho que es demasiado libre, Gabriela. ¿Tú crees que es natural que ella viviese en Ciudad de México con ese hombre tan famoso, sin casarse, claro, porque él ya está casado...? No sé si es buena cosa tenerla tan a mano de las niñas. ¿No crees que las puede influir mal, dar mal ejemplo?» Mi madre se reía. «La estrechez moral de tu hermana», le decía a Octavio, «es asombrosa.»

Soledad escribía muchas cartas. Se las daba a Damián para que las echara al correo en Puebla. Yo tenía verdadera curiosidad por esas cartas. ¿Para quién eran? Pude echar alguna ojeada a los sobres. Iban dirigidos a personas desconocidas en Madrid, en Barcelona, en París. También a asociaciones misteriosas, o así me lo parecían porque no podía entender el significado de las siglas.

Ella también recibía cartas. Se las daba Nuria a Damián metidas en un sobre grande cuando reunía tres o cuatro. ¿Por qué no las mandaban directamente a la hacienda? Yo misma me di la respuesta: Tardarán menos en llegar a la casa de Nuria en Puebla. No aparecía pista alguna que diera luz sobre Soledad. Tampoco la buscábamos. Nos limitábamos a aceptar la lluvia de sugerencias que ella derramaba sobre nuestra existencia. Fuegos artificiales que encendía sin esfuerzo y que nos mantenían absortos en su espectacularidad.

Con Soledad se podía hablar de todo. Tenía una habilidad extraordinaria para establecer un contacto individual. Era generosa de su tiempo y, en mi caso, paciente con la torpe exposición de mis problemas. Sentada en cuclillas sobre la alfombra de mi cuarto, empezaba por crear un clima de confianza, interesándose por los objetos que nos rodeaban o aludiendo a pequeños incidentes del día. Enseguida pasaba a hacer preguntas sobre los otros. «¿Y tu verdadero padre?», me decía. «¿Cómo era? Y tu madre, ¿cómo se enamoró de Octavio?» Eran preguntas cariñosas y nunca sonaban a curiosidad gratuita. Luego pasaba directamente a hablar de mí. De lo triste que debía de ser vivir aislada en esta hacienda. De lo necesario que sería para mí salir de aquí y conocer más gente para estudiar y aprender más, para vivir una vida rica, abierta a un futuro lleno de sorpresas. Parecía que adivinaba todo lo que yo, en mis exaltaciones solitarias, soñaba.

Merceditas enfermó. Amaneció un día con fiebre, vomitaba todo lo que comía, le dolía la tripa. Octavio la metió en el coche y se la llevó al hospital. Mi madre fue con ellos y no regresaron. Aquella noche no pude dormir. Empecé a tener miedo. ¿Y si moría Merceditas? La losa que me aplastaba el pecho al pensar en la desaparición de la abuela, volvió a golpearme. A media mañana del día siguiente llegó mi madre, ojerosa y cansada. «Todo va bien», dijo. «La operaron anoche, urgentemente, de apendicitis. Descansaré un rato y volveré a la noche para que Octavio duerma.»

Inmediatamente, Soledad se hizo cargo de la situación. Se ocupaba de todo. Sustituía a mi madre en la casa y en la escuela. Reunió a todos los niños y trabajó con ellos en la capilla. Luego organizó comidas, despachó con el nuevo capataz y tomó nota de los encargos para Octavio. A los dos días pude visitar a Merceditas. Estaba pálida, con su camisón blanco como las sábanas de la cama. Le di un beso y salí enseguida. «Pronto estará bien», dijo Octavio. Y así fue, aunque de momento se quedaría en casa de doña Adela para que el médico pudiera visitarla cada día. Durante las dos semanas que duró la convalecencia, tuve a Soledad para mí sola. Después del almuerzo me ayudaba a hacer mis trabajos, y luego charlábamos. Ella me fue introduciendo en un mundo que apenas conocía. El mundo de las personas que dedicaban su vida a la ciencia, al arte, a la política. Me hablaba de reuniones en noches interminables de charlas y copas. De los amores y desamores que tenían algunos de ellos. De sus casas y sus viajes, y lo ancho que es el mundo para la gente que destaca en algo. «Lo mismo puedes estar en Acapulco que en la Costa Azul, porque los ricos siempre invitan a las personas excepcionales para que les distraigan y también para que les presten ese brillo inconfundible del talento, ese brillo que el dinero no tiene...»

Lo que Soledad me contaba parecía que lo hubiera leído en un libro, porque nunca dijo: «Precisamente estaba yo allí...», ni tampoco «Yo conocí a este hombre que te cuento». No, ella no se incluía en la historia. La historia tenía otros protagonistas, nombres que no me decían nada en esos tiempos, pero que sonaban maravillosos a juzgar por el entusiasmo y reverencia con que Soledad hablaba de ellos.

El final de la guerra sorprendió a todos. Se sabía, se veía venir, pero la espera de un final inmediato había sido demasiado larga.

Lo excesivo del saldo emborronó la alegría en las informaciones de los diarios. Había habido demasiada destrucción, demasiados muertos. Reconstruir el mundo no iba a ser tarea fácil. La economía era la gran preocupación. «A quién comprar y a quién vender en este cementerio», le oí comentar a Octavio. Con un egoísmo apabullante, yo vivía preocupada de mi propio futuro. Estaba alcanzando el final de una etapa y no podía continuar en un régimen precario de estudios. Se hacía imprescindible el traslado a un liceo para continuar los cursos superiores que me llevarían a la universidad. Puebla no era la solución: «De todos modos estarías separada de nosotros y tendríamos que buscarte un lugar donde vivir porque no podemos abusar de Adela.» En la mente de mi madre germinaba hacía tiempo un plan: yo debía seguir estudiando en uno de los colegios que los exiliados españoles fundaron en Ciudad de México; de ese modo participaría de lo mejor de ambas culturas. Por primera vez me habló mi madre del dinero de Octavio: «Él quiere pagar todos tus estudios. Sé que lo hace con gusto y también sé que tú responderás como debes a su generosidad.» Un arrebato de soberbia me hizo decir: «Se lo agradezco mucho. Pero nosotras hemos venido hasta este extremo del mundo y eso también tiene mérito, eso también se paga.» El asombro de mi madre se reflejó en su rostro. Iba a hablar pero no la dejé: «No digas nada. Lo sé, lo sé. Se lo agradezco mucho todo. Ya sé que ha sido nuestra salvación.» Nos abrazamos las dos, o mejor dicho yo abracé a mi madre, avergonzada.

Octavio conocía a la gente de la Academia y pudimos conseguir una plaza para el curso siguiente. El futuro empezaba a moverse. Venía a mi encuentro. Me esperaba.

Fue Merceditas la que más sufrió con la noticia de mi marcha. Me miraba con tristeza a todas horas como si fuera a ocurrirme una desgracia. Había crecido mucho después de la operación y reaccionaba con llanto a la menor contrariedad. Yo trataba de animarla: «Dentro de dos cursos te toca a ti. Estaremos juntas entonces. Viviremos en la misma habitación.» «Yo no iré», me decía. A mí no me dejarán salir de aquí.» En el fondo yo también pensaba que ella se quedaría en Puebla al cuidado de su tía. Octavio no podía renunciar a tenerla cerca, y al mismo tiempo yo intuía que le daba miedo una educación demasiado libre para su hija. Con la cabeza, Octavio iba mucho más avanzado que con el corazón.

Aunque expreso opiniones sobre él, la verdad es que Octavio era un desconocido para mí. Primero fue el viudo, el personaje misterioso que sembraba una curiosidad teñida de emoción por las calles de mi niñez. Luego fue Octavio, el amigo de la familia de Amelia, el que nos ayudó a llegar a México. Un día se convirtió en el marido de mi madre. Pero yo apenas sabía cosas de él, qué pensaba, qué sentía, cómo era por dentro. Di por sentado que estaba enamorado de mi madre. Yo la adoraba y la admiraba, y encontraba natural que despertara un amor. En cuanto a Octavio, lo aceptaba como era sin hacerme preguntas. Luego, en los años de mi adolescencia, cuando empecé a ver bajo otro prisma a los seres que me rodeaban, me pareció que descubría un nuevo Octavio. Me detuve a considerar su atractivo, la esbeltez de su cuerpo, la agilidad de sus movimientos, su mirada expresiva, su frente amplia, su hermosa boca. Tenía un aire joven y maduro a un tiempo, que me recordaba a algún actor de cine o quizás a más de uno. A veces se quedaba observando a mi madre como si la tuviera lejos o como si él mismo regresara de un lugar distante. Pero en su mirada había una sombra de ternura que se extendía a su sonrisa. A veces le cogía la mano o cuando caminaban juntos le pasaba el brazo por los hombros. Parecía que la presencia de mi madre le transmitía serenidad.

Era septiembre. Hacía calor. Se acercaba el momento de la partida. Mi madre se afanaba para preparar todas mis cosas. Con su actividad evitaba pensar. Lo decía ella: «Con este ajetreo no pienso que te vas...» Lo decía sonriendo, pero a menudo le aparecía un fugaz temblor en la barbilla que se desvanecía al instante. Octavio no mostraba signo alguno de preocupación o tristeza. Tampoco de alegría. Respetaba la opinión de mi madre y se adhería a ella. Dudo que yo significara tanto para él como para sentirse afectado. Una noche estábamos todos lánguidamente distribuidos por los asientos del patio interior. Octavio y mi madre, cerca uno del otro, en sus mecedoras. Merceditas y yo, en el banco más cercano. Nadie hablaba. Soledad entraba y salía. Una gran trenza sujetaba su pelo. «No puedo con el calor», acababa de decir, y en uno de los viajes al interior volvió con la trenza hecha. «¡Qué bonita!», dijo Merceditas. La retuvo en sus manos y la acarició un momento. Los demás callábamos. Soledad preguntó: «¿Qué tal les parece si traigo músi-

110

ca?» Sin esperar respuesta desapareció en la casa en busca de un gramófono. Una vez instalado junto a la puerta que daba entrada al salón, volvió a perderse en el pasillo para regresar cargada con un montón de discos. Nadie preguntó qué música íbamos a oír. Ella levantó el brazo del gramófono y dejó caer la aguja. El patio resonó como un pozo con la vibrante melodía. Era música popular, música para bailar, para seguir con palmadas, para correr a lo largo del patio riendo y saltando. Eso fue lo que hizo Soledad tomándonos a Merceditas y a mí de la mano. Todos reíamos. La nube de tristeza que flotaba en el aire se esfumó. «Qué alegre y qué joven y llena de vida es Soledad», pensé. O quizá lo pienso ahora y en aquel momento me limité a sentirlo intensamente.

Coyoacán «lugar de coyotes», me explicó Octavio al entrar en el barrio camino de la casa de sus tíos. Íbamos a pasar allí la primera noche. Al día siguiente me dejarían instalada en la ciudad, en mi nuevo alojamiento. Coyoacán: la casa estaba igual que hace unos años. El cuarto con sus camas de cortinas blancas. La casa de muñecas del jardín. Me asomé a la ventana antes de acostarme. La casita estaba a oscuras. Ningún reflejo de luz tras los cristales. ¿Había perdido yo el poder de mirar o era la casa la que estaba despojada de su magia? De nuevo iba a separarme de mi madre, ahora por mucho tiempo. Pero era una elección mía, o al menos un deseo que coincidía con la elección de mi madre. Olía a jazmín y a magnolias. Las farolas de la calle apenas despejaban de sombras un círculo a sus pies. La noche estaba oscura. Un brusco chaparrón golpeó las hojas de los árboles, el tejado, la piedra de la escalera. Cerré la ventana, y con la luz apagada me metí en la cama. Esta noche no estaba a mi lado Merceditas, plácidamente dormida, ajena a los sobresaltos de mi imaginación. Puede que a esa hora pensara en mí, puede que aprovechara nuestra ausencia para charlar hasta muy tarde con Soledad. Quizá Soledad le estaba preguntando: «¿Qué sientes por Juana? ¿Qué te pareció la boda de tu padre con Gabriela?»

Mi madre tardaría en dormirse, angustiada por nuestra separación. La lluvia cesó. Volví a abrir la ventana y respiré el aire húmedo. A los perfumes de las flores se unía ahora el fuerte aroma de la tierra mojada. «No quiero estar triste, no debo estar triste», pensé. Me parecía bien decírmelo. Pero la verdad era que yo no estaba, en absoluto, triste.

La primera carta de mi madre llegó un viernes. Me contaba los escasos acontecimientos de la vida en la hacienda. «El caballo tiró a Antonio, el capataz, yo creo que no anda muy suelto en eso de cabalgar. Iba con Octavio camino de Los Riscos y el caballo le hizo un extraño. Salió por los aires y parece que se ha hecho daño en una pierna.» Luego, que Merceditas me echaba de menos y andaba triste y apagada por la casa. Y Soledad la consolaba. Remedios, que no paraba de hablar de mí. «Todos, todos te recordamos. Nos faltas a cada instante. Pero sabemos que es por tu bien.» Evitaba a propósito hablar en singular, decir: «No puedo vivir sin ti.» Y yo lo agradecía porque todas mis defensas se habían puesto en guardia para evitar llegar a ese «no puedo vivir sin ti». No quería recrearme en los recuerdos, y al mismo tiempo la novedad de todo lo que me rodeaba me ayudaba a estar serena. «Siempre es mejor irse que quedarse, hija mía», me dijo Remedios en uno de sus últimos discursos. «El que se va deja atrás la piel antigua y desde que sale por la puerta ya empieza a vestirse con otra. Pero el que se queda no encuentra más que huellas en el polvo, olores en las telas, ah, y hasta el eco de la voz prendido en los rincones de las habitaciones...»

El domingo contesté la carta y escribí seis carillas. Tenía mucho que contar. Se me atropellaban las noticias, los comentarios, las descripciones. La carta era para todos: «Queridos todos», para evitar las debilidades.

Me habían instalado es una casa cercana a la glorieta de Colón, donde estaba la Academia. Una señora viuda alojaba en su hermoso piso a seis muchachas estudiantes de distintas edades, desde alumnas de secundaria y preparatorio hasta universitarias. Era un pequeño internado con unas normas claras, horarios fijos para las comidas, horarios de regreso rígidamente controlados.

Las compañeras venían todas de fuera, de ciudades o pueblos más o menos lejanos. La confianza de sus padres en doña Luisa era total y ella ejercía con firmeza su función de representante de la familia. Cenábamos temprano y luego había un rato de charla y diversión en el salón, con la presencia cercana de nuestra tutora que entraba y salía con cualquier pretexto. Reía-

113

mos, nos contábamos historias, comentábamos sobre los profesores y los compañeros, nos prestábamos libros, trajes, revistas. Los domingos salíamos al cine o a pasear pero volviendo siempre pronto. «Prontito que mañana es lunes y hay que trabajar», advertía doña Luisa. Todas cumplíamos las normas. Sólo una vez llegó la noche y una de las chicas no apareció. Era una niña de quince años, estudiante de comercio, menuda, desgarbada, sin ningún atractivo especial. Doña Luisa estaba nerviosísima. «No puede ser, Carlota es una buena niña.» Me asustó comprobar que nadie conocía a Carlota, que no le importaba a nadie, que era posible vivir meses y meses cerca de una persona sin preguntarle por su vida, por sus preocupaciones y temores. La insignificancia de Carlota la convertía en un ser aislado, una figura borrosa, casi inexistente. A las once de la noche doña Luisa llamó a la policía. A las doce envió a los padres un mensaje telegráfico. A las tres de la mañana la policía informó a doña Luisa de que habían encontrado a Carlota en el hospital, aparentemente herida por un automóvil que la atropelló y se dio a la fuga. A los pocos días llegaron los padres y se la llevaron enseguida a su casa, una hacienda dedicada a la ganadería en Aguascalientes, en el altiplano.

La verdad es que nunca acabamos de creernos la versión del atropello y las suposiciones y fantasías entenebrecieron aún más el recuerdo del accidente.

Las clases no me parecieron difíciles. Tenía unos profesores excelentes. El trabajo era estimulante, muy bien programado y perfectamente desarrollado. Pero lo que más me impresionó, lo que me hizo sentirme turbada y me alteró por dentro fue el verme sumergida de pronto en un ambiente en el que se hablaba el español de mi infancia. Poco a poco había ido asimilando la suave tonalidad del acento mexicano; me había familiarizado con los giros expresivos, llenos de vida, con las viejas palabras castellanas que creía nuevas porque nosotros las habíamos arrinconado en el olvido. Mi madre nunca perdió su acento, pero su voz era tan mía que no podía detenerme a analizar la diferencia con otras voces que me rodeaban. Al llegar a la Academia regresé a España, a la abuela, a mis amigos. Los alumnos eran en buena parte hijos de españoles exiliados. Muchos hablaban ya con acento mexicano pero los mayores todavía conservaban el viejo tono. Aprendí a distinguir ecos distintos del castellano: catalán, andaluz, vasco, gallego. Al regresar al lenguaje, regresé al país y al deseo de conocerlo algún día. No sé si mi madre pensó en esta reacción mía. No sé si la buscó al enviarme a un centro español para seguir mis estudios. Quizás inconscientemente trataba de acercarme a la tierra abandonada. Por entonces un profesor de lengua nos dijo un día, después de leer un poema: «Esto es lo único que no pudieron quitarnos, la palabra.»

Profesores españoles, amigos españoles, casas españolas que se abrieron para mí con generosidad. Ciudad de México fue la oportunidad de acercarme a una patria que los exiliados evocaban una y mil veces para mantenerla nítida en el recuerdo. Una de mis compañeras de clase más queridas, Elvira, hija de un médico, me invitaba a comer muchos domingos. Solían hacer ese día comida española que yo apenas recordaba, porque mi madre jamás intentó introducir ningún plato nuestro en los menús de Remedios. La explicación la buscaba la misma Remedios y la encontraba enseguida: «Tu madre no quiere cocinar a la española porque no quiere recordar... Que los sabores traen los olores y los olores los lugares, y con esa carrerilla caemos en la pena más grande...»

Más importante que las comidas eran, en aquella casa, las conversaciones. Allí se hablaba de cosas que yo andaba buscando y que me habían faltado, sin saberlo, en los años de aislamiento en la hacienda. En un empeño por conseguir que me adaptara mejor, mi madre había evitado, salvo en lo estrictamente escolar, hacer referencias a España. Nunca añoraba ríos, paisajes, soles, calles, pequeños e inocentes sucesos que pudieran llenar mi necesidad de pasado. De modo que, detrás de mí, se abría una sima, un vacío familiar y social, apenas salpicado de chispazos de la memoria, mínimos recuerdos personales que flotaban en una nebulosa.

Con Elvira y su familia fui reconstruyendo el rompecabezas de mi país, el mosaico de la vida cotidiana. Los padres de Elvira eran madrileños. Me contaban cómo era Madrid antes de la guerra y cómo se había ido agotando con los bombardeos y la escasez, y cómo era la gente de Madrid, valiente y alegre; cómo aguantaban los ataques y luego salían a la calle para gritar: «No pasarán.» Me hablaban del Retiro y de la Puerta

116

del Sol, de la Ciudad Universitaria al atardecer, cuando el sol refleja su último resplandor en el rosa de los edificios y en el verde de los árboles...

Se ponían un poco tristes al hablar de estas cosas. La ciudad lejana, la ciudad perdida despertaba en mí sentimientos nuevos. Sentí nostalgia de la ciudad desconocida. El conmovedor ejercicio de la memoria de mis nuevos amigos iba llenando los huecos del pasado que me faltaba.

Mientras España empezaba a tomar cuerpo en mis ensoñaciones, la presencia real de México continuaba afirmándose en mi experiencia diaria. México era la tierra maravillosa que había cambiado mi vida. Era la tierra fértil, la exuberante variedad de América; el sol, la piedra poderosa tallada por los indios, los volcanes, la plata, el océano, el águila. El esplendor policromado de las iglesias; el color explosivo de las frutas y las flores, el color inventado de los trajes, las cintas, los papeles trenzados. México era el amor profundo a la vida y la irónica aceptación de la muerte. Y era también lo que quedaba de la presencia de España, la arquitectura y las costumbres pero sobre todo el idioma, ese idioma capaz de hacernos vibrar al mismo tiempo con la misma palabra. El idioma, mi única, mi verdadera patria.

«Pero bueno, ¿esa Soledad no tiene familia? ¿No tiene padres para pasar con ellos la noche de Navidad?» Doña Adela se indignaba. Ella sola se preguntaba y se contestaba: «Claro que no tendrá. Te digo yo que por no tener no tiene ni vergüenza.» Mi madre sonreía y aceptaba el chaparrón de su cuñada sin darle importancia.

Octavio acabó irritándose: «Por favor, Adela, ¿a qué vienen esos insultos?» Don Ramón asentía, sumido como siempre en sus distracciones interiores. No pude oír el final del ataque a Soledad porque Rosalía nos llevó a su cuarto. Me pareció que había cambiado mucho. Era ya una chica mayor. Se pintaba discretamente. Se peinaba con el pelo largo ahuecado sobre la frente. Se derrumbó en la cama y nos invitó a imitarla. «Tengo noticias frescas. Buenas noticias», empezó. Pensé que iba a contarnos alguna historia de Soledad. Pero no. Se trataba de confidencias personales. «Tengo novio», declaró en tono bajo y profundo. «¿Quién es?», preguntó Merceditas. «No le conoces», contestó Rosalía un poco despectiva. «Tú sí, Juana. ¿Te acuerdas de aquel morenito que te gustaba, el de mi fiesta de quince? ¿El que estudiaba en Estados Unidos?» Claro que me acordaba. «Pero era muy joven para ti», repliqué. Ella se echó a reír a carcajadas. «No es él, hija mía, no es él. Es su hermano mayor...» Nos contó que salían por la tarde, a dar un paseo por el Zócalo, una media hora escapados, cuando ella salía de la clase de inglés, tres manzanas más allá. «Nos hicimos novios en la fiesta de cumpleaños de una amiga. ¡Qué baile! ¡Qué fiesta! Hasta las diez y media de la noche...» Yo no sabía qué decir. Rosalía tenía dieciocho años, había empezado a poner cimientos a lo que deseaba construir en la vida. Por decir algo, pregunté: «¿Y el hermano?» «Ése sigue estudiando con los yanquis. El mío no, el mío ya trabaja con su padre porque no le gusta estudiar. Y digo yo que al no tener que hacer carrera, no tenemos que esperar tanto tiempo y nos podemos casar antes. ¿No te parece?» Merceditas escuchaba un poco ajena a todo el asunto. Se levantó y fue a coger una muñeca empelucada y vestida de satén que adornaba el tocador de su prima.

En ese momento se oyó la voz de doña Adela llamándonos: «Señoritas, vengan a merendar, que el chocolate se enfría.» Con el dedo en los labios Rosalía nos pidió silencio. Cuando entramos en el comedor había cambiado el tema de conversación. Ahora se trataba de la cena de Nochebuena. «Como queráis», decía doña Adela, «pero yo creo que debíais venir todos aquí.» Octavio movió la cabeza negando esa posibilidad. «Al contrario. Sois vosotros los que debéis acompañarnos.»

Al volver a la hacienda en el coche de Octavio, me asaltó la inquietud de una pregunta.

¿Por qué atacaba doña Adela a Soledad? Pero no me decidí a hacerla. En parte porque temía que eludieran la respuesta. Y, sobre todo, porque prefería no saber.

Así que nos reunimos todos, la familia de Octavio y nosotros cuatro y, por supuesto, Soledad. Nadie se planteó la remota posibilidad de que pensara irse a otro lugar en esos días. Y su presencia resultó al final un completo éxito. Belén, árbol, adornos, dulces en la cocina con Remedios y sus cacerolas de fondo, en todo intervenía Soledad. Por la tarde los niños de la escuela vinieron a cantar villancicos y a felicitarnos la Navidad, también a iniciativa suya. Había colocado globos por todas partes y en el techo de la escuela colgó una piñata llena de caramelos y dulces y pequeñas sorpresas. Aquella noche, al final de la cena hasta doña Adela sonreía y miraba a Soledad como diciendo: «¿Por qué, por qué he cogido yo manía a esta encantadora criatura?»

Tengo en mis manos una fotografía. Es una fotografía interesante. Marca el final de muchas cosas claramente retratadas y el comienzo de algo, oculto. La fotografía tiene dos planos. Casi podría cortarse en dos por una línea que dividiera de izquierda a derecha la cartulina. En el plano superior se ven tres imágenes, tres cuerpos, tres cabezas. A la izquierda Octavio, y a su lado mi madre, sentados en un sofá de respaldo bajo. Entre los dos, de pie, detrás, emerge la figura de Soledad. En un segundo plano, sentadas en el suelo, hay dos niñas, dos muchachas, Merceditas y yo. La distribución de los personajes es tal que en las sucesivas contemplaciones de la fotografía he llegado a imaginar un juego. Uniendo las cabezas entre sí puede resultar un pentágono. Ese pentágono va a durar muy poco. El punto más alto, la cabeza de Soledad se va a esfumar y la figura geométrica será sólo un cuadrado perfecto: la misma distancia entre las dos cabezas superiores, a la misma altura de las dos inferiores, también simétricas. Más adelante, el cuadro dará lugar a un triángulo rectángulo, cuando una de las dos cabezas, la que está debajo de mi madre, la mía, se mueva del retrato, salga, desaparezca. En ese orden, en el orden del juego

120

imaginario, se produjeron de verdad las transformaciones futuras, las que iban a sucederse una tras otra después de aquella fecha, 1 de enero de 1947, que aparece en la fotografía.

Recuerdo muy bien ese día y también el origen del retrato. Fue Soledad la que propuso inmortalizar aquel momento. Era la mañana de Año Nuevo, antes del almuerzo que Remedios, ayudada por sus indias, preparaba en la cocina. Olía a pavo con mole, a tortilla de queso, a compota de peras. Entró Damián a felicitar el año y también a despedirse.

Bajaba a Puebla a celebrar la fiesta con unos parientes lejanos.

Soledad le abordó, le puso en las manos una máquina pequeña, un cajoncito apenas, y le dijo: «Vamos, Damián, háganos una fotografía familiar, ahora que estamos todos juntos.» Ella nos distribuyó: tú aquí, tú allí, tú arriba, tú abajo y al final se quedó ella de pie, triunfal y sonriente entre los dos adultos sentados. También he pensado muchas veces que, de algún modo, esa fotografía pretende marcar las diferencias. Ella está por encima de los demás, destaca, sobresale.

Pues bien, Damián hizo la foto y se marchó. La noche anterior, la Nochevieja la había pasado en la hacienda. Iba del comedor de los criados al de los señores. Quería compartir con todos la alegría de no estar solo. Damián, el solterón un poco huraño, tenía su lugar en la mesa en todas las fechas señaladas, siempre que no hubiera invitados. Aquella noche estábamos sólo los de casa, nosotros cuatro y Soledad, así que él se sentó a la mesa y comió y bebió, y al punto exacto de las doce, como todos los años, se le escapó una lágrima. Justo el momento en que sonaron las guitarras y las voces y abrimos las puertas para que entraran a la sala los cantantes felicitándonos el final de un año y el comienzo de otro.

Se les sirvieron copas y continuó un rato la música que fue a perderse luego por el pasillo de la cocina hasta la nave exterior detrás de la casa, en la que cocinaban y comían los peones. Al quedarnos vacíos de música, Soledad acudió, como solía, al gramófono. Sonaron boleros y corridos, tangos y pasodobles, y Soledad agarró a Damián para bailar con él, que se negaba y forcejeaba entre las risas de todos, para rendirse al fin ante la tenacidad de Soledad, que nos vencía siempre. Pensé en aquel momento, Damián y Soledad, por qué no. Pero era un pensamiento absurdo, ella tan joven y guapa, y él mayor y tan gris. La música corría por la sala, se arrastraba por los suelos o subía a los techos en su melodiosa resonancia. Soledad nos sacó a bailar, nos obligó a bailar a Merceditas y a mí y cogió de las manos a Octavio y a mi madre, les hizo levantarse, salir al centro de la improvisada pista. Octavio cedió sin resistencia pero mi madre, sonriente, se soltó la mano y dijo: «No. Yo nunca...», y se volvió a sentar mientras Octavio, en brazos de Soledad, giraba entre nosotros.

Nos fuimos retirando Merceditas y yo, y también Damián, que fue a sentarse al lado de mi madre. Todos mirábamos el baile embriagador de la pareja, que seguía al cambiar de discos, con idéntico ritmo y armonía. Miré a mi madre, busqué sus ojos para sonreírle admirada de la inesperada faceta de bailarín de Octavio. Pero mi madre hablaba con Damián y no prestaba atención a los giros y vueltas, al abrazo de Octavio y Soledad.

Por entonces andaba yo encandilada con las novelas de amor, las canciones de amor, las historias de amor. Desde aquel primer chico que en el baile de Rosalía había despertado en mí un fugaz espejismo, no había vuelto a pensar en novios. Ahora era distinto. Pronto cumpliría dieciséis años y no fue casual que conociera precisamente en casa de mi amiga Elvira a un muchacho, hijo de españoles, que enseguida se convirtió en mi compañía favorita.

Se llamaba Manuel, tenía dieciocho años, estudiaba literatura en la universidad. El primer día que hablamos de España me dijo: «Mira, yo volveré algún día y creo que todos debemos volver. Los hijos de los expulsados, de los obligados a huir. No podemos renunciar a nuestra patria.»

La guerra civil había aparecido enseguida como núcleo central de nuestras conversaciones. Fue la guerra la que cambió el curso de nuestras biografías, la que nos había llevado a México. Hacer a la guerra responsable de nuestro encuentro añadía a éste un aura de romanticismo. «Mi padre era ingeniero de una fábrica», me contó Manuel. «El 31 votó por la República. El 36 se fue al frente. Le cogieron prisionero, se escapó y le dispararon. Le dieron por muerto. Se fue arrastrando hasta la choza de un pastor que le curó y le escondió...» Cuando me tocó contar la muerte de mi padre, me emocioné y no pude seguir hablando. Guardamos silencio un rato.

Luego los recuerdos se volvieron alegres y los desgranábamos como el maíz brillante de una mazorca.

El tiempo histórico, el medido por los hombres, transcurría sobre nosotros, fuera de nosotros. Lunes, jueves, domingo; febrero, marzo, abril. El tiempo era un puente sobre nuestras cabezas y nosotros habitábamos debajo, protegidos por él, desobedeciendo su paso obligado. Teníamos nuestros propios ritmos horarios que venían dados por el antes y el después de nuestros encuentros.

Absorta en mi amor adolescente, descuidé otros afectos. No reparé en lo corto de las cartas que mi madre me enviaba. Me limitaba a contestarlas apresuradamente porque Manuel se tomaba todos los ratos libres que me dejaban las clases y los estudios. Las cartas de mi madre, leídas a la luz de mi estado emocional, no me preocupaban. Cortas o largas, eran sólo la seguridad de que ella seguía bien, se acordaba de mí, velaba a distancia por mi bienestar. Nada me puso en guardia, nada me alertó sobre posibles problemas. Llegaron las vacaciones de Semana Santa y con ellas el regreso a la hacienda, la separación de Manuel y la esperanza de un regreso rápido. Precisamente estaba haciendo la maleta cuando entró doña Luisa y me entregó un papel doblado varias veces. «Un telegrama», dijo, y se me encogió el corazón. El telegrama decía: «No te muevas. Llego mañana. Besos. Mamá.»

Pasado el primer susto corrí a llamar a Manuel para festejar la suerte de un día ganado. «No puede pasar nada grave», me dije, «nada grave si puede venir ella.»

«Octavio se ha ido», dijo mi madre después de un abrazo tenso y sostenido. Estaba ojerosa, triste, incomprensiblemente descuidada. Me recordó la etapa de la guerra, cuando sólo vivía para trabajar y reunir el dinero de nuestra supervivencia. «Octavio se ha ido con Soledad», continuó. La noticia tardó unos segundos en abrirse paso en mi cerebro, atento a los mensajes directos —su mal aspecto, su tristeza— que acababa de percibir. No supe qué decir, pero ella no esperaba mi respuesta. «Trataré de explicártelo todo, pero no quería que te asustaras, no podía dejarte aquí esperando a Octavio como habíamos previsto...» Recogí mis cosas y nos fuimos las dos hacia la estación para emprender, después de un largo rato de espera, el viaje más triste que hice jamás en México.

Remedios me acompañó a mi cuarto y de ella supe las primeras noticias, ya que mi madre no habló más durante el viaje. «No es de ahora mismito», dijo Remedios, «que esto viene avisando desde lejos, mi niña. Desde Navidad por lo menos que lo vi venir. Pero estos hombres que no tienen los ojos en su sitio ni la cabeza en su sitio, que lo único que tienen a punto es lo que menos necesitan tener...» La corté cariñosamente: «Pero ¿qué pasó? Dime qué pasó...» «Pasó, pasó lo que tenía que pasar. Que mucho paseo a caballo, que mucho te llevo a Puebla para una urgencia, que mucho ir y venir... eso pasó. Y luego, de repente, pues bueno, hará como cinco días se fueron para el monte y no volvieron. Cada uno con su caballo, que ya digo, últimamente cabalgaban mucho... La noche llega y tu madre se angustia y se organiza la búsqueda con los peones recorriendo por aquí y por allá. Se comunican con los que viven más lejos, del otro lado y nada. Toda la noche en movimiento de antorchas y perros y huellas... y dice Eligio que es el más viejo y el que más conoce la hacienda: "Pudiera ser que al pasar el río un caballo se haya torcido una pata y aquello está muy lejos y puede ser que en la choza del pastor perdido se hayan tenido que guarecer..." Y allí los encontraron, sí, señor. Allí estaban los dos abrazaditos, agarraditos uno a otro, ateridos pero juntos. Allí los alcanzaron al amanecer y efectivamente era un caballo que perdió el herraje y dobló mal la pata y tropezó y dio con ella en el suelo. Pero para mí que era algo más. Porque ¿a qué viene el irse tan lejos así, sin más, sin avisar ni ir preparados? A mi parecer iban locos, huyendo de esta casa, a la busca de la libertad. Porque si no, ¿por qué no volvieron en un caballo solo? Que el del patrón es recio y requeterrecio. ¡Pues no ha traído él veces una carga superior que la de esa lagarta! ¡Ay por dónde vendrá a salir la historia!...»

En ese momento mi madre entró en el cuarto e interrumpió a Remedios. «Cenaremos enseguida, Remedios», dijo. Y Remedios desapareció. Mi madre se sentó en mi cama y empezó a hablar. Fue breve y elocuente. Cuando terminó pregunté: «¿Y Merceditas?» «Está en Puebla con doña Adela. Me pareció mejor que se quedara allí hasta que todo esto...» No terminó la frase. Quizá pensó que no podía decir: «Hasta que todo esto se arregle.»

La narración de los hechos tal como me lo explicó mi madre quedó grabada en mi memoria con exactitud telegráfica: «Salieron a las seis de la mañana, los dos a caballo. El plan era recorrer los límites de la hacienda por el norte. A las doce de la noche no habían llegado. Envié peones a caballo. Otros a pie con antorchas. De madrugada volvieron los de las antorchas agotados y sin noticias. Hacia las ocho de la mañana llegaron los de los caballos con Octavio y Soledad montados en el caballo de Octavio. El otro se había roto una pata. Explicó Octavio la aventura. No habían podido regresar sin que el caballo de Octavio descansara. El camino era largo, el peso mucho... Allí terminó la explicación. Luego se encerraron cada uno en su cuarto. Durante todo el día durmieron. Al anochecer se levantó Octavio y dijo: "Lo siento mucho." Ella no se levantó, siguió encerrada hasta el día siguiente. Yo estaba sola desayunando. Entró en el comedor y llevaba una maleta en la mano. Me miró un instante y dijo: "Adiós." Octavio estaba fuera con el coche dispuesto. Dijo a Damián: "La acompaño hasta la frontera. Se marcha a Guatemala." Eso fue hace tres días. No ha vuelto ni sabemos nada de él.»

Mi juventud me impedía formar un juicio claro de la génesis y el desarrollo de las pasiones humanas. La

exposición de mi madre, una serie de hechos objetiva-
mente enumerados, no me daban la clave última del
drama que nos había sobrevenido. Unas conductas que
yo creía inmutables, habían cambiado. Sólo mi instinto
me serviría de guía en el confuso laberinto que se abría
ante mí.

No supe entonces ni nunca, más adelante, los sentimientos que dominaban a mi madre. Pienso que ni ella
misma podía analizarlos. Era verdad que, como decía
Remedios, todo se veía venir. Yo no lo había visto,
seducida por el encanto de Soledad, por el deseo permanente de cautivarnos a todos. Pero ¿lo vio mi madre? ¿Temió en algún momento que aquella mujer
joven, brillante, hermosa, interfiriera en su vida, llegara hasta el extremo de arrebatarle a Octavio? No lo
sabré nunca. Desde el momento en que me dio su
versión de la historia no volvió a hablarme de ella.
Mientras duró su narración no pronunció una palabra
de crítica, de acusación, de amargura. A los dos días se
presentó en la hacienda doña Adela con el coche renqueante conducido por Manolito. «Ramón no ha querido venir. Está sufriendo mucho. Merceditas está tranquila, Rosalía la trae y la lleva, y no sé si ha creído la
historia esa del viaje de negocios... Hay que hacer algo,
Gabriela, hay que hacer algo. Hay que llamar a la
policía, hay que buscar a esos dos. ¿Qué ropa se llevó
Octavio, qué dinero? Esa mujer es peligrosa. Le meterá
en un lío gordo. Te lo dije enseguida que no, que no me
gustaba. Se arregló bien para engañarnos a todos...
Nuria está haciendo averiguaciones por su cuenta. No
sabía nada. Ella no le había dejado traslucir nada.

Aunque para mí esto venía de lejos, se veía venir... Tanto saltar y bailar, tanta defensa del indio y tanto ataque al capital... Recuerdo aquel día (te lo dije Gabriela, ésta es política, ésta es un peligro) en que discutió con Octavio sobre el indio y el patrón y el reparto de tierras... Todo eso está muy bien y el reparto de maridos también entra en el lote, al parecer... Tú tranquila, no te alteres. Y tú ayúdala, Juana, que ya eres una mujer. Ayuda a tu madre, que todos le ayudaremos a salir adelante, y ése me va a escuchar, me va a oír ese loco, él, que siempre hizo ascos a nuestras amistades, él, que nos llamó siempre hipócritas cristianos... Pero ¿qué es eso de la frontera de Guatemala? ¿Tú te das cuenta los días que van a tardar? Ahí al lado, al ladito está Guatemala. Primero baja a Chiapas, luego el papeleo y mientras tanto, ¿qué te crees? ¿Qué andarán viendo el arte y los paisajes? ¡Ay Gabriela, qué ingenua has sido! Y todos hemos pecado de lo mismo. Pero te digo yo que sensato no era. En este convento meter ese volcán, que se veía, que lo veía yo cuando bailaba y se movía... Yo sé que era muy lista y muy intelectual y muy ladina para lo suyo, porque digo yo que lo uno no quita lo otro y se puede ser lista y leer y estudiar mucho y tener un poco más de vergüenza...»

Al sexto día Octavio regresó sin avisar. Apareció al mediodía con Merceditas a su lado, en el coche. Al verlos recordé la primera imagen de los dos en el descapotable rojo. La niña se abrazó a mí. Estaba radiante. Besó a mi madre, buscó a Remedios, subió corriendo a su cuarto. Algo había oído, algo había sabido porque miraba sin cesar a su padre y a mi

129

madre y hablaba por los codos. Contaba cosas de sus días en Puebla, se reía con las historias de Rosalía y su noviazgo. Nos sentamos en la mesa y mi madre ordenó que pusieran dos cubiertos más. El almuerzo fue lento y fatigoso. Sólo Merceditas trataba de aligerar la pesadez del ambiente. Después de pasar al salón para tomar café, Octavio dijo a mi madre: «Tengo que hablar contigo.» Ella se levantó y se fueron los dos a encerrarse en sus habitaciones. Merceditas y yo permanecimos quietas, sentadas en el sofá, todavía humeaba el café de las tazas sin tocar de Octavio y de mi madre. Merceditas me miró de un modo diferente al de antes de marcharme a Ciudad de México, cuando aún jugaba a la hermana pequeña. Me miró con tristeza y dijo: «¿Tú crees que esto tiene arreglo?» Yo me encogí de hombros y musité: «Esperemos que sí.» Había crecido. Se había convertido en una muchacha esbelta y graciosa. La melena, más negra que nunca, le caía sobre los hombros. Los ojos le brillaban como a su padre. Las manos eran finas y largas. Se las llevó a la cabeza y jugó con los mechones de pelo. «Cuéntame cosas de Ciudad de México. ¿Tienes novio?» Me di cuenta de que tenía catorce años y que la cercanía de Rosalía había acelerado su proceso de crecimiento. Le conté de Manuel y de mi vida en la ciudad, de mis amigas y compañeras. De mis estudios y mis proyectos de futuro. Por primera vez desde mi llegada me sentí contenta. Había encontrado una confidente. Ya tenía a quién explicar mis dudas, mis problemas, mis preocupaciones. También por primera vez desde que mi madre me recogió en la residencia empecé a desear el regreso. Con Octavio en

130

casa, yo podía volver a Ciudad de México. Con Octavio en casa, mi futuro no peligraba fuera cual fuese el rumbo que tomara la relación entre él y mi madre. Una oleada de optimismo me sacudió. «Yo creo que todo va a ir bien», le dije a Merceditas, «porque si no, ¿por qué ha vuelto tu padre y por qué están hablando los dos, encerrados, tanto tiempo?»

III. El regreso

«Así que mexicana», preguntó un chico bajito, de cara ratonil, que se mostraba especialmente ruidoso.

«Mexicana no, española», aclaró Luis. «Española trasplantada accidentalmente a México, pero española.»

«Ya... Oye, ¿y allí todo es como en las películas del Indio Fernández?»

Sonreí y le contesté: «Más o menos.»

Por la calle Mayor, a la izquierda bajando hacia Arenal, estaba nuestra taberna. La llamé «nuestra» desde ese primer día en que Luis me llevó a ella y me presentó a sus amigos, que me hicieron un sitio en el banco de madera pegado a la pared. Todos eran estudiantes, la mayoría de Derecho. Hablaban mucho. Se quitaban unos a otros la palabra y, mientras, me miraban con curiosidad. Luis se había sentado frente a mí y me sonreía como diciendo: «No te asustes que son inofensivos.» Me asombraba la energía de sus discusiones, su capacidad para elevar el tono de voz y agitar al mismo tiempo los brazos y dar en la mesa golpes que desencadenaban breves olas en el vino de los vasos.

Enseguida continuaron debatiendo la cuestión que les ocupaba a nuestra llegada: Qué periódico de la mañana era el mejor o el menos malo: *ABC*, *Ya* o *Arriba*.

«Depende», dijo uno. «Depende de lo que busques en él...»

«Buscar... Te puedes imaginar. Sólo busco lo que hay, porque lo que no hay me lo evito...», contestó misterioso el otro.

Sólo había una chica, Teresa, que estudiaba Arte Dramático. Intervenía en la discusión, que me pareció agotadora, pero nadie le hacía mucho caso.

Cuando salimos a la calle, Luis trató de darme explicaciones.

«Nos hemos acostumbrado a hablar de cosas aparentemente sin importancia, en público quiero decir, y les damos mil vueltas, pero debajo late la preocupación por una situación asfixiante... La charla se convierte en un arte de disimulo y en un análisis barroco de cualquier tema. En la discusión de hoy, por ejemplo, te asombrarías las deducciones que podemos sacar sobre lo que cada periódico dice u oculta entre líneas. Un filón de matices...»

Cuando llegué a Madrid me instalé en la pensión de la plaza de las Cortes que un amigo de Octavio había encontrado para mí −«Es una pensión estupenda, no de estudiantes sino de gente seria»−. Cuando él mismo arregló mis papales académicos con una facilidad asombrosa que ya me había anunciado Octavio, empecé a pensar en la carta de Amelia. La había llevado conmigo en la cartera desde que la recibí unas semanas antes de abandonar la hacienda. Antes de despedirme de mi madre, silenciosa y seria, de llorar con Merceditas y Remedios abrazadas a mí, de seguir a Octavio al coche y emprender, los dos solos, el viaje a Veracruz. La carta había sido mi talismán, la garantía de que en Madrid habría alguien, un eslabón, un vínculo que me uniría a mi pasado. «Se llama Luis, es amigo de mi hermano. Se conocieron en Oviedo, pero luego él se fue a vivir con su familia a Madrid. Estudia, como Sebastián, tercero de Derecho. Es un chico estupendo. Ya lo verás....»

Me enviaba la dirección y el teléfono, y cuando me decidí a llamarle desde la escasa privacidad del pasillo de la pensión, se puso él, qué casualidad, pensé. Pero no, no era casualidad. «Es que», me explicó, «estoy solo en casa, todos han salido por ahí (era domingo) pero yo me quedo en casa para poner al día el trabajo que tengo que entregar...»

Habían transcurrido dos meses desde aquel primer día. Ahora Luis iba a mi lado y caminábamos los dos hacia nuestra taberna. Allí estaría ya algún amigo y si no pronto irían llegando todos, de uno en uno. Se sentarían y pedirían un vaso de vino a Pedro, el tabernero, que era de Valdepeñas y se mostraba paternal con ellos.

«Me debéis entre todos cien pesetas y no estoy yo dispuesto a fiaros más, ¿os enteráis?» Pero no se enteraban y él tampoco insistía y sólo se irritaba cuando alguno, excediéndose, le pedía prestado un duro, «que te lo voy a devolver, que ya sabes que te lo devuelvo».

«Abusones, descarados», gritaba él, pero ya tenía en la mano el billete arrugado que deslizaba entre los dedos del pedigüeño. «Para que, encima, vayáis a gastarlo a la competencia», bramaba. Que no era del todo cierto, porque no se gastaba en otra taberna sino en un café, cerca de la plaza de Oriente, donde todos pedíamos un cortado y, con lo que sobraba, una o dos o tres copas de anís. Compartíamos las copas y con ellas el fuego de la conversación se avivaba. Aquéllos eran nuestros ateneos clandestinos, nuestras aulas libres...

«De modo que dos meses ya», iba diciendo Luis. «Qué raro, Juana. Hace dos meses eras sólo un fantasma.»

Entramos y antes de cerrar la puerta ya nos envolvió el alboroto de la conversación. Estaban todos y el tema que les ocupaba era si alguna vez España dejaría de ser conocida en el mundo por los toros y la pandereta, si alguna vez...

La puerta se volvió a abrir y entró un hombre mayor, con gabardina y frío, frotándose las manos. Pidió una cerveza, se apoyó en el mostrador y se volvió a mirar al grupo que había dejado de hablar como si todos se hubiesen puesto de acuerdo. Sin perder de vista al hombre, Emilio Cara de Ratón tomó la palabra y casi desafiante dijo: «Vamos a ver, siguiendo nuestra discusión: ¿Luis Miguel o Antonio Ordóñez?»

El hombre de la gabardina se bebió su cerveza y dirigiéndose al tabernero le dijo confidencialmente: «Ésta es la juventud, ¿qué le parece? No tendrán nada más en que pensar...»

Pagó y se marchó y todos rieron.

Inesperadamente la voz grave y redonda de Teresa se elevó sobre las discusiones recitando a Machado. Todos guardaban silencio y ella se creció. Graduaba la reacción de los espectadores manejando unos hilos ocultos que garantizaban su protagonismo. «Demasiado egocéntrica, Teresa», había comentado alguna vez Luis. «Hace de todo una ocasión para el propio lucimiento.» Yo opinaba lo mismo, pero en aquel momento me dejé arrastrar por el valor de las palabras.

Una nueva emoción sustituyó la oleada de nostalgia que un rato antes me había provocado el tabú de la fecha: «Precisamente hoy hace dos meses que llegué...» O quizá la emoción anterior derivó hacia otros cauces y se incorporó a la corriente de las emociones compartidas. Cuando Teresa dijo:

Fue un tiempo de mentira, de infamia. [A España toda,
la malherida España, de Carnaval vestida
nos la pusieron pobre, escuálida y beoda,
para que no acertara la mano con la herida...

me di cuenta de que tenía los ojos llenos de lágrimas.

Cuando decidí regresar a España, mi madre se vio asaltada por dos temores contradictorios. Por una parte temía la influencia de los amigos de Octavio que habían resuelto los aspectos burocráticos de mi regreso. Eran gente de negocios que mantenía contactos más o menos extraoficiales con México y pertenecía a un mundo frívolo de fiestas y cacerías. El otro peligro que mi madre adelantaba tenía que ver con la universidad. Allí iba a encontrar personas comprometidas con los problemas políticos y sociales del país. Cualquier intervención mía en actividades prohibidas, perseguidas o simplemente mal vistas en los ambientes oficiales podía tener consecuencias negativas para mí. Quizá por eso prefirió instalarme en un lugar tranquilo mejor que en una residencia de estudiantes y aceptó con alivio la sugerencia acerca de la pensión de doña Lola. Doña Lola era muy conservadora. En su afán de aleccionarme y protegerme me abrumaba con argumentos consabidos: «¿Se mete contigo la policía? No, ¿verdad? Sólo se mete con los que son unos revoltosos.» Luego se ponía a hablar de un hermano republicano que había muerto en el exilio. «Mira mi hermano. Qué necesidad tendría él de haberse metido a arreglar el mundo... Y qué bien le arregló el mundo a él... Salió con lo puesto, pasó en esas Francias lo que nadie sabe, para acabar enfermo y sin fortuna en América. ¿Quién le mandó, Juana? Perdona, hija, que hable así. Ya sé que tu padre también fue un loco idealista. Pero es que me sublevo, no lo puedo resistir. Cuando pienso que él, si sigue con el negocio que nos dejó nuestro padre, se hubiera hecho, mejor dicho, nos hubiéramos hecho millonarios... Porque hay otros que yo conozco que empezaron con menos y ahí los tienes nadando en la abundancia. Y para qué hablar de los que se han metido al estraperlo...»

Yo escuchaba en silencio y hacía un vago gesto de asentimiento. Más que asentimiento era un intento de

140

comprensión de los deseos y las frustraciones de la mujer, pero no de sus ideas. Las mías discurrían en otras direcciones. Con paso seguro, me acercaba a los mitos que había alimentado desde mi nacimiento: la lucha por la libertad, la oportunidad perdida, la esperanza siempre mantenida de que un día empezáramos de nuevo.

De modo que de los dos peligros que mi madre intuía, el primero podía darlo por inexistente. No me interesaron las invitaciones de los amigos ricos de Octavio. Recorrí con cierta indiferencia los lugares lujosos a los que pretendían llevarme. Las tiendas y las calles no eran sorprendentes para mí, después de vivir los últimos años en Ciudad de México. Las conversaciones, los comentarios, los juicios de mis anfitriones me aburrían. Fui espaciando mis visitas y las llamadas para invitarme a sitios nuevos fueron también languideciendo hasta desaparecer. No obstante, en las cartas de mi madre siempre había incluido un mensaje de Octavio: «Si necesitas algo ya sabes a quién tienes que acudir... No dudes en llamar, no dudes en pedir ayuda.»

Más justificada estaba la preocupación de mi madre por el segundo peligro, sobre el que intentó alertarme en los últimos días de mi estancia en la hacienda.

Generalmente no hablábamos del viaje. Todo lo más, ella me hacía observaciones de tipo práctico mientras elaboraba interminables listas de cosas que no debía olvidar. A veces se quedaba mirándome y no podía evitar comunicarme sus preocupaciones: «Cuidado con la gente que se acerque a ti. Desconfía. Tú estás marcada por tu situación. Exiliada voluntaria, hija de tus padres, ten cuidado. El hecho de que vayas de México no es una recomendación. No olvides que México es un país enemigo para el gobierno... Cuidado con la universidad...»

Recibí una carta de Merceditas. «Tu madre está triste. Te echa de menos. Me preguntas qué tal andan ellos. Pues la verdad, Juana, yo los veo como antes, poco más o menos. No sé lo que ellos dirán o cómo estarán cuando no les vemos. Pero aquí en la hacienda, a la vista de todos, están como siempre. ¿Sabes que Gabriela me ha pedido que la ayude en la escuela? Ya tengo dieciséis años pero yo no soy como tú. Yo no quiero irme a estudiar lejos, no quiero vivir sola. Voy y vengo a Puebla, continúo con las clases, pero sólo voy por la tarde tres días a la semana. Salgo prontito, a la una, y estoy de regreso a las seis. Así que por la mañana temprano empiezo a trabajar con los inditos y a las doce almorzamos y... lo de siempre... La prima Rosalía va a tener otro bebé. El mayor está precioso... La tía Adela y el tío Ramón cada día un poco más viejos. Remedios un poco más gruñona. En cuanto a mi padre, no sé si algún día podré dejarle, no sé si podré vivir sin él...»

Las cartas de allá me perturbaban. Me conducían por una especie de pasadizo brumoso a mi vida anterior. El túnel terminaba en un paisaje abierto y luminoso: México y la hacienda. Allí estaban todos, ordenados como actores en medio de una representación. Reproducía días completos, escenas concretas. Mi madre brillaba con luz propia como si un foco se detuviera en

142

sus gestos de protagonista. Me trastornaba la contemplación de los recuerdos. Pero reaccionaba enseguida. Una fuerza poderosa me arrastraba al presente. En España estaba ahora mi verdadera vida. La carta de Merceditas no añadió nada nuevo a todo lo que ya sabía o imaginaba.

Levanté el visillo y miré hacia fuera. El atardecer se deshacía en sombras. Las luces empezaban a encenderse y la plaza cambió de aspecto. La gente que pasaba era distinta de la que circulaba por la mañana camino de sus compras, negocios, oficinas. Las luces del Palace estaban encendidas. En la entrada principal, ante las escaleras del gran vestíbulo, un portero uniformado abría la puerta a un coche grande del que salieron dos personas, un hombre y una mujer, muy ataviados. Una fiesta o una recepción. Imaginé el salón, las arañas centelleantes, la orquesta dispuesta. ¿Qué celebrarían?

Una chispa de curiosidad retuvo un instante mi atención. Ella parecía guapa, no muy joven. ¿Como mi madre? Dejé caer el visillo y cogí el abrigo para salir a la calle. En el colegio mayor donde vivía Emilio Cara de Ratón iba a celebrarse la lectura de un libro de poemas «que nunca, nunca pasará la censura. Ya veréis lo que se puede decir en verso...».

Margarita se convirtió en mi amiga desde un día que coincidimos en la cola del tranvía. «¿Vives en Argüelles?», me preguntó en el aburrimiento de la espera en la Moncloa. «No, en la plaza de las Cortes.» «¿Y cómo vienes?» «En metro. Transbordo en San Bernardo.» Seguimos hablando de qué facultad, qué curso y resultó que ella también estudiaba Letras pero estaba en segundo. «¿Nos vemos en el bar?» Y allí quedamos a las doce. Charlamos, nos hicimos confidencias y luego aquello terminó en costumbre. Margarita era inteligente, se lo tomaba todo muy en serio y ponía mucho entusiasmo en lo que hacía. «Mi padre es un médico conocido», me dijo. «Mis hermanas se han casado muy bien. Yo soy la pequeña y una especie de oveja negra. Nadie en casa quería que estudiara. Mi madre dice que las chicas que estudian no encuentran luego novio formal...» Me habló de sus inquietudes humanitarias que encontraban su cauce en actividades dependientes de la Iglesia. «Tienes que venir conmigo un domingo por la tarde. Llevamos ropa y comida y lo que podemos a una gente que vive en las chabolas al otro lado del río... Ven un día y verás la otra cara de la moneda... En Madrid hay gente que vive en condiciones infrahumanas..., gente que ha dejado sus pueblos en busca de trabajo.»

Yo le hablé de México y del cinturón de miseria que rodeaba la ciudad. Aquello fue un nuevo vínculo entre las dos, pero cuando le conté a Luis que había prometido acompañarla a visitar a sus protegidos tuvo una reacción despectiva y casi violenta: «Eso es caridad. Yo lucharé por la justicia, no por la caridad.» Discutimos y yo traté de explicarle que mi amiga accedía a esas actividades a través del único medio que conocía: las asociaciones religiosas. Y que todo, todo era poco cuando se trataba de ayudar a los necesitados. «Vamos, Juana. No me vengas ahora con esas estupideces. Hay gente que quiere que todo siga igual y tranquiliza su conciencia con limosnas...»

No obstante yo seguí decidida a cumplir mi compromiso y acudí a mi cita con Margarita al siguiente domingo.

Cruzamos andando el puente de Segovia. Al otro lado del río, Madrid depositaba los desechos de su dudoso esplendor. En forma de materiales usados, uralitas, tablas, catres, palanganas, se almacenaba la resaca de una ciudad que vivía entre la miseria de muchos y el lujo de unos pocos. Racimos de chamizos, algunos con diminutos huertos, se apiñaban a las orillas de un río también escaso, también menesteroso.

Bajamos por un desnivel hasta alcanzar la orilla del agua.

Ya desde lejos corrían los niños harapientos al grito de «Vienen las señoritas». Margarita los besó y los cogía en brazos sin miedo a que estropearan la impecable lazada de su blusa de seda. Le tocaban el pelo y ella sonreía, y yo pensé: «Así deben de imaginarse a la Virgen. La Virgen descendiendo a los infiernos para darles alivio. O una princesa reinante cumpliendo sus funciones caritativas, guapa, limpia, bien vestida.» Las mujeres también se acercaron. Eran delgadas y su juventud parecía haberse esfumado tiempo atrás, entre las arrugas de la piel y los huecos de los dientes perdidos.

Parecían ancianas, aunque el vientre de algunas proclamaba su aptitud para la maternidad. Margarita se dirigió a una de ellas y le dijo: «¿Para cuándo, Avelina?» Y ella bajando los ojos murmuró: «Para Navidad.» Las otras rieron y una, la más descarada, comentó: «Dile a tu hombre que te haga otros regalos más lujosos...» Margarita se puso seria y replicó a la que hablaba: «Un hijo es el mejor lujo, María...»

Luego sacó los objetos que habíamos acarreado en dos bolsos de viaje. De uno salieron jerséis, calcetines de lana, pantalones y botas a medio usar. Del otro, paquetes de garbanzos, azúcar, embutidos, tabletas de chocolate para los niños...

Con calma y habilidad Margarita fue haciendo el reparto. Desapareció todo en poco tiempo y tuve la sensación de que sólo unos pocos habían conseguido su diminuta parte de auxilio.

También pude observar que había mujeres que no se acercaban y se quedaban a las puertas de sus chozas, con una mano apoyada en la mejilla mientras con la otra se sujetaban el codo del brazo doblado. No decían nada, no hacían nada, pero sentí en el aire la hostilidad de aquellos rostros demacrados, el rechazo de una limosna que otras, más agotadas o más cínicas, aceptaban.

«Fusiles y ametralladoras era lo que había que llevar a esos hambrientos...» Emilio se puso furioso cuando les conté mi experiencia de suburbio. «...Y dile a esa amiga tuya que se venga por aquí a oír algo más revolucionario. Que abandone a sus curas y a sus hermanitas de la caridad...»

Así lo hice. Invité a Margarita a unirse a nuestras tertulias y no había pasado mucho tiempo cuando comprendí que la sensibilidad social de mi amiga estaba necesitada de una vía de escape más rotunda. Pronto Teresa se oscureció y sus recitados pasaron a un segundo plano. Margarita era ahora la estrella. Poco a poco se convirtió en el centro del grupo. Leía lo que le aconsejaban, discutía, programaba. Tenía una lucidez increíble para analizar las situaciones. Era valiente y arrojada. Yo les oía hablar, compartía sus opiniones y estaba dispuesta a pasar a la acción cuando fuera necesario. Pero notaba a veces, dentro de mí, una cierta frialdad en contraste con el apasionamiento de mis amigos. ¿Será que no me siento totalmente española?, pensaba. ¿Seguiré aún encerrada, me preguntaba, en aquellos años de crisálida en México, sofocada por los hilos de seda que me abrazan y me paralizan?

Mis reflexiones terminaban con un suave deshielo. Mi indiferencia se derretía y me invadía una vehemencia nueva y cálida. No hablaba con nadie de estas sensaciones, no pedía comprensión ni ayuda a mis amigos. Menos que a nadie a Margarita que, como buena conversa, avanzaba a grandes pasos en la nueva fe. Por otra parte su incorporación al grupo había estimulado a sus componentes, que cada día estaban un poco más exaltados.

Hubo por entonces un amago de revuelta en la Facultad de Derecho.

«Comunistas, hija mía, ésos son comunistas», decía doña Lola absolutamente indignada. «A quién se le va a ocurrir si no es a los comunistas armar esa protesta por nada, porque han cogido a un chico y le han dado cuatro palos...»

Yo conocía al chico. Le habían cogido en la casa en que se reunían y organizaban sus actividades: las octavillas hechas con imprenta rudimentaria, las citas, los contactos, los mensajes del exterior, las noticias de lo que estaba pasando en una fábrica o en una cárcel. Emilio, el amigo de Luis, estaba allí y había escapado por pies. «Comunistas, sí. Los únicos que hacen algo serio», reconocíamos en nuestras reuniones.

Habíamos cambiado de taberna. Ahora frecuentábamos una por la Cava Baja, más grande, más desahogada, que permitía hablar sin tener encima a los que ocuparan la mesa de al lado. Emilio tardó en aparecer. Nadie se atrevía a llamarle aunque sabíamos que estaba muy bien y que, aparentemente, pasaba unos días en El Escorial.

Por aquellas fechas recibí la autorización para formalizar la matrícula oficial en el primer curso de la facultad. Llamé al amigo de Octavio que se había encargado de esta gestión y le di las gracias. «¿Qué tal la facultad?», me dijo, «no sabemos nada de ti. Estudia, estudia y diviértete, que es lo propio de tu edad...»

También por entonces me preguntó Margarita: «¿Te gusta Luis?» Yo titubeé un segundo antes de decir: «Me gusta, sí. Pero yo no le gusto a él, si es eso lo que quieres decir. Sólo somos buenos amigos.»

La pregunta me había sorprendido a medias, porque era fácil advertir que entre Luis y Margarita había surgido una atracción especial, nada concreto todavía pero evidente cuando estaban juntos.

148

Mientras tanto me iba alejando de mi madre. Aunque nos escribíamos todas las semanas, eran cartas que rara vez esperaban respuesta. Por lo general se trataba de un monólogo en voz alta en presencia de un interlocutor silencioso. Como no se contestaban, no importaba el orden en que se recibían. Simplemente se mantenía el compromiso que nosotras mismas establecimos al despedirnos. «Te escribiré todos los domingos», le dije. Y ella: «Yo no sé qué día de la semana, pero te escribiré todas las semanas.» Las cartas eran un puente nebuloso en el aire, un cordón delicado uno de cuyos extremos se enroscaba con suavidad en los dedos de mi madre y el otro en los míos, que lo apretaban con fuerza para no dejarlo escapar. Miraba el mapa. México se desperezaba al sol de América. Buscaba un punto, Puebla. En ese punto, estaba mi madre.

Me he preguntado muchas veces qué habría sucedido si mi madre no se hubiera casado con Octavio. Es difícil elegir una respuesta. En cualquier caso, la presencia de Octavio me había independizado de mi madre. Interpuesto entre las dos, me había eximido de obligaciones extraordinarias para con ella: no abandonarla nunca, renunciar si era preciso a metas personales. Obligaciones todas que yo me había forjado a lo largo de mi infancia sin que nadie me hubiera sugerido su necesidad. Había otras preguntas que me hacía con frecuencia. ¿Cómo había reaccionado mi madre ante la traición de Octavio? No su reacción externa, impenetrable, sino su reacción profunda, la que la haría llorar a solas de rabia o sonreír de desprecio, la que sólo ella conocía. A veces mis cavilaciones tomaban otro rumbo. ¿Por qué el destino no llevó a mi madre a Madrid en lugar de a México? De haber sido así no me encontraría yo ahora en una patria a medias perdida y recuperada a medias. Mis referencias españolas eran referencias de una infancia en pueblos y en una ciudad de provincias. Tenía poco que ver con el mundo de mis nuevos compañeros. De ellos me separaban los años de México, las millas de mar, las experiencias respectivas tan ajenas unas a otras.

Enseguida rechazaba mis incertidumbres. Porque eran muchas más las cosas que nos unían: el origen, las raíces, el presente. Y todavía más el futuro.

El catedrático de Historia de España era un hombre viejo, un cascarrabias iracundo. No podíamos hablar, ni mover un músculo. Nos trataba como a colegiales de primer grado. A la mínima desobediencia nos mandaba fuera con un índice amenazador que señalaba la puerta.

En una de esas expulsiones desorbitadas me fui al bar y me encontré con Margarita. «Ven al baño», me dijo. Parecía seria y no hice preguntas. En los lavabos, vacíos a esa hora, me entregó un paquete del tamaño de un libro. «Guárdalo en el bolso», me dijo. «A ti no te lo quitarán.» Y se fue haciendo con la mano un breve saludo de despedida. En la clase siguiente, filosofía, hubo un pequeño revuelo.

La pregunta de uno de los pocos chicos de la clase —la mayoría éramos mujeres— provocó la irritación del profesor, un ayudante jovencito. «Freud, dice usted...

¿A qué viene ahora Freud? Freud, sépalo usted, vino al mundo para ensuciar la mente de las gentes... Y ustedes ¿de qué se ríen? Necias cabecitas. En otras épocas las feas se iban a un convento, pero ahora sus padres las envían a la Facultad de Letras...» El revuelo se hizo general. Unos aplaudían. Otros emitían sonidos guturales. El joven profesor, congestionado de ira, se levantó y abandonó la clase.

No me atreví a coger el tranvía con el paquete de Margarita en el bolso. Me fui andando por los amplios paseos que limitan la carretera hasta la Moncloa. Si mi madre, pensaba, hubiera oído las palabras del profesor se habría quedado horrorizada. Vuelve, me diría, ven a la Universidad de México, donde encontrarás grandes maestros, maestros libres, muchos de los cuales han huido de ahí... Tenía razón. Pero yo había vuelto buscando otras muchas cosas. Una de ellas, por ejemplo, el misterioso paquete, del tamaño de un libro que palpaba cada poco, en el interior de mi bolso.

Se acercaba la Navidad. Amelia me escribió insistiendo para que fuera a pasar las vacaciones en su casa. «¿Dónde mejor?», decía.

Al comenzar diciembre me llamó por teléfono. Tardé un tiempo en reconocer el tono de su voz. La charla duró poco; el teléfono no era para charlar. Se utilizaba exclusivamente para transmitir recados. «Te escribiré», dijo. En la carta me daba todo tipo de argumentos para que fuera: «Recordaremos los viejos paseos, te presentaré a nuevos amigos; mis padres y mi hermano están deseando verte...» Acepté. Había recibido otras invitaciones. Una cortés y formalista de los amigos de Octavio. Otra de Margarita. Una de doña Lola, cargada de buena voluntad. «Sola no te vas a quedar, criatura. Esa noche yo la paso con mi hermana en Toledo. Aquí no queda nadie, ¡porque es una noche...! Pero tú te vienes, nos vamos las dos en el coche de línea, nos recogen en la parada, nos llevan a su casa y verás qué familia más unida y más alegre. Tiene tres nietos que son tres diablos. Comemos allí el día de Navidad y por la tarde nos damos la vuelta.»

Agradecí a todos sus cariñosas propuestas, me fui a sacar el billete, y el día 20 de diciembre emprendí el viaje a mi ciudad.

Antes celebramos una pequeña fiesta con los amigos. Brindamos por el nuevo año, «por ese medio siglo que nos marcará para siempre», dijo Emilio muy dramático. «Por Méjico» dijo otro, con esa «j» fuerte que tanto me chocaba. Un ligero estremecimiento recorrió mi espina dorsal. «Por Méjico», repetí. Margarita no me nombró el paquete que reposaba en el fondo de mi armario.

Antes de despedirnos le pregunté: «¿Necesitas aquello?» Ella negó con la cabeza y dijo: «No. Puedes quemarlo si quieres.»

«¿Dónde?», le iba a preguntar. Pero en ese momento se acercó Luis. Hacía rato que nos observaba. Creí que me miraba buscando el momento de despedirse de mí. Pero no. Se dirigió a Margarita, la cogió del brazo y le dijo: «¿Vamos?» A mí me sonrió y con una palmada en la mejilla me despidió advirtiéndome: «Muchos recuerdos a Sebastián y su familia. Y no olvides que te esperamos aquí para empezar juntos el medio siglo...»

El cristal de la ventanilla estaba helado. Apoyé la frente en él y me dejé llevar por la contemplación del paisaje. La sierra iba quedando atrás; las montañas, los pinares, los pueblos adormilados bajo el sol blanco de diciembre. Había tapias en ruinas, casas destruidas, desmoronadas. Una mujer, la única compañera de departamento, suspiró a mi lado. Me volví a mirarla y señaló con el dedo acusador hacia fuera: «La guerra», dijo lacónica. Y cerró los ojos. Vestía de negro y agarraba con fuerza un bolso ajado. Los árboles mostraban sus ramas vacías. Riachuelos medio secos se deslizaban bajo puentes demasiado grandes. Barrancos, rocas, piedras sueltas. La oscuridad nos envolvió repentinamente y a la salida del túnel la meseta se extendía desnuda, cubierta de rastrojos helados. Kilómetros de tierras llanas, colinas suaves al fondo, un árbol solitario, un puñado de casas de adobe. Y en el centro la iglesia, protectora y amenazante. De vez en cuando un pastor envuelto en una manta parda vigilaba un rebaño de ovejas. El perro, a su lado, ladraba al paso del tren. Una serie de sensaciones olvidadas revivieron en mí. Aquello era España. Los meses en Madrid y sus alrededores no me habían traído a la memoria mensaje alguno del pasado. Ahora, reconocí la tierra despojada, los pueblos aparentemente deshabitados, las casas silenciosas en cuyo interior palpitaba una vida escondida. Viejos inmóviles contemplando el fuego del hogar, hip-

153

notizados por las llamas, rememorando soñolientos amores y odios heredados. Niños y jóvenes ocupados en pequeñas tareas invernales: desgranar alubias, escoger lentejas, tejer y destejer proyectos diminutos para la primavera.

Reconocí a mi madre en la mujer de negro que viajaba a mi lado. La visión sombría del mundo que la rodeaba. La incapacidad de salir de su negro ropaje.

Un aroma de tiempos lejanos me envolvió. Mis propios recuerdos afloraron. El pueblo de la abuela, Los Valles, las heladas, las madreñas, la cocina encendida, las cuadras, los pajares.

En una estación pequeña, un apeadero, había un hombre. Le vi subir a nuestro vagón, que se detuvo justo ante él. Entró en nuestro compartimiento. Su pelliza olía a grano, a humo. Llevaba en la mano una cesta de alas, tapada con un paño blanco. Murmuró unos buenos días y se sentó junto a mí. «Menuda helada», dijo. La mujer volvió a suspirar y asintió con un leve movimiento de barbilla. Por un instante detuvo la mirada en mí y yo sonreí. «Frío», insistió. «Mucho frío», contesté. Y eso le animó. Destapó un poco la cesta y sacó una bota de vino de cuero grueso y brillante por el uso. «¿Quieren?», ofreció. La mujer de negro negó con la cabeza. Yo cogí la bota y bebí y el hombre rió brevemente, «No se le da nada mal», dijo. Luego bebió él y el vino le pasaba a golpes por la garganta palpitante. Volví a sumergirme en el paisaje, pero el hombre no parecía dispuesto a aceptar su soledad. «Poco que ver ahí fuera», dijo. «Miseria y calamidades.» «En todas partes», quise consolarle. «Pero, mujer,

154

en la ciudad es otra cosa. Piense en los chiquillos que aprenden otra vida y otra manera de defenderse y de luchar. Aquí el terrón y la azada y vuelta a empezar. Y como distracción los sermones de la iglesia y la radio el que la tenga...» El sol se había retirado tras una nube blanquísima. «Yo voy hasta Venta de Baños, ¿sabe usted? Allí me espera la hija. Me van a quitar un divieso aquí detrás.» Y se señaló la espalda. Por la ventanilla seguían pasando campos fríos, pueblos tristes, rebaños desolados. Pero dentro del vagón había nacido un clima nuevo, una atmósfera cálida. La mujer abrió los ojos y el hombre se dirigió a ella: «Lo que le decía a la señorita... Estos pueblos son una desgracia...» «No me diga nada de pueblos», replicó la mujer. «Si yo le contara lo que pasé en el mío...»

Fuera la meseta se enfriaba por momentos. La nube blanca era ya una nube gris. El hombre echó un vistazo y sentenció: «Con ese cielo color panza de burra, nieve segura...»

Entró el revisor y pidió los billetes. Se quedó mirando al hombre, la cesta abierta, la comida extendida. «Esto es primera, señor», dijo. «Tiene usted que cambiarse a tercera. Siga por el pasillo hasta el final...» La sorpresa del hombre, su desconcierto, debieron de conmover al empleado, que se encogió de hombros y adelantó la mano pidiendo calma. «Quédese ahí. De todos modos en tercera no cabe un alfiler...»

Cuando el tren se detuvo horas más tarde en la estación de mi destino, empezaba a nevar. Amelia, más alta, más esbelta, me esperaba en el andén. A su lado estaba Sebastián.

Me ayudó a bajar mis cosas. Sonreía en silencio mientras Amelia hablaba sin cesar, excitada con mi llegada. La nieve nos mojaba el abrigo, el pelo, la cara. Su tacto helado me devolvió los inviernos del pasado.

«Háblame de Luis», dijo Amelia. «Luis es una persona maravillosa», le dije. «Ha sido una suerte conocerle... ¡Y qué guapo!»

Amelia se quedó pensativa y no volvió a nombrar a Luis. No quise hablarle de Margarita ni de la impresión que tuve del embelesamiento de él y la seguridad de ella el último día que nos vimos. Así que pasé a hacerle otras confidencias: «Yo tenía un medio novio en Ciudad de México. Se llama Manuel. Fue un enamoramiento de chiquillos. Nos hemos escrito un par de veces, pero nada...»

«Hace mucho que no veo a Luis», dijo Amelia inesperadamente. «Cuando estaba en Oviedo venía muchas veces a pasar unos días con nosotros. Sebastián y él se pasaban el tiempo en casa estudiando o charlando. Yo andaba por allí pero me parece que no se enteraban, desde luego Luis no se enteraba...» No me hizo ninguna declaración significativa, pero yo imaginé que escondía un sueño casi infantil en relación con Luis, el mejor amigo de su hermano.

Tumbadas en la cama, mirábamos a través de la ventana el prado cubierto de una capa de nieve convertida en escarcha. Los árboles del río, abajo, exhibían el brillo de sus ramas. Amelia acumulaba recuerdos infantiles.

«¿Te acuerdas de la primera vez que viniste aquí con Sebastián y conmigo?... ¿Te acuerdas del día que te encontraste a Octavio y dijiste: "El viudo", y cómo ibas a imaginar que él iba a cambiar tu vida, vuestra vida...?»

Me decidí a contarle la historia de Octavio y Soledad. Hablar de ello me tranquilizaba, transformaba en reales hechos distorsionados, imágenes fantasmales que me visitaban de tiempo en tiempo. Amelia dijo: «Es como una novela, de verdad, parece una novela tal como lo cuentas...» Luego me confesó que le gustaría ser escritora. Que leía mucho y escribía un poco. Habíamos cambiado. Cada una de nosotras había seguido su propia evolución para llegar, por separado, al presente de nuestro reencuentro. Pero el afecto seguía intacto. Regresamos a la infancia en busca del origen de ese afecto y queríamos reforzar con savia nueva nuestra amistad. Por eso hablábamos y hablábamos, para reconstruir lo que había sido y descubrir en quiénes nos habíamos ido convirtiendo. La recuperación del tiempo no compartido era un esfuerzo permanente que nos llevaba a hacer las confesiones más ridículas. Las confidencias pretendían llenar vacíos, ausencias, años de lejanía, kilómetros de distancia.

Sebastián me preguntó por Luis, en la mesa, mientras comíamos.

«¿Y qué tal Luis?»

«Muy bien, Luis es estupendo. Ya le dije a Amelia cuánto me ha ayudado a "entrar" en Madrid...»

«¿Sigue tan politizado?», continuó preguntando Sebastián. Y recordé que ellos lo hablaban todo con sus padres, que podía contestar con libertad.

«Pues sí, bastante politizado. Él y su grupo andan metidos en todo lo que se agita por allí.»

Luego intervino el padre y la conversación se generalizó. Como siempre la queja política iba acompañada de cierta desesperanza. ¿Hasta cuándo? No se veía salida a un gobierno que empezaba a ser aceptado por el mundo occidental. Los últimos maquis desaparecían, huían o eran apresados en operaciones de limpieza.

«Pobres exiliados», dijo la madre. «No sé si continúan pensando en el regreso o van perdiendo las esperanzas.»

«Mi madre dice que ella no piensa volver mientras viva Franco», intervine yo.

«Supongo que quiere decir volver para quedarse, así que imaginaos qué pensarán los que fueron obligados, los que huyeron para no ser apresados y, en muchos casos, fusilados...»

Dudé un instante pero tenía necesidad de continuar.

«Por mi madre yo no hubiera venido. Ella hubiera estado feliz si me quedo en la Universidad de México, pero no podía impedir el regreso. Seguramente comprendió que no podía obligarme a un desarraigo definitivo...»

Todos guardaron silencio. Me hubiera gustado que opinaran, que discutieran incluso sobre aquella cuestión. Pero sólo la madre de Amelia, un poco emocionada, me cogió las manos y dijo:

«Es maravilloso que hayas vuelto y estés aquí, con nosotros...»

Un día me fui sola dando un paseo hasta la ciudad. Recorrí el camino que tantas veces había hecho. Crucé el puente sobre el río, avancé por la avenida hasta encontrar la calle en la que viví. La realidad física del lugar me golpeó con fuerza. Allí estaba mi casa, la guerra, el miedo, la abuela, el frío, la tristeza. Allí estaban los juegos con Olvido, las correrías por las calles, las tardes lánguidas de invierno viendo la nieve tras los cristales de la cocina. El edificio entero estaba más viejo. La fachada resquebrajada, las maderas de las ventanas con la pintura descolorida y sucia, el mirador herméticamente cerrado. Me detuve sólo un instante. No quería correr el riesgo de encontrarme con Olvido o alguien de su familia. No me sentía con fuerzas para intercambiar resúmenes de nuestras vidas. Sin proponérmelo, empecé a andar hacia la catedral. Su grandeza me sobrecogió como si fuera la primera vez que la veía. Entré despacio por la nave central. El débil sol que traspasaba los rosetones inundaba de colores suaves el interior. No había música. Recordé las tardes en que me acercaba a oír el órgano y las voces gregorianas.

Yo era otra y contemplaba la catedral con nuevos ojos. Pero la extraordinaria perfección del templo barrió la riqueza de las nuevas experiencias. Indefensa, vulnerable y absorta, me dejé llevar por la abrumadora intensidad de la belleza.

El año comenzó mal. Cuando llegué el tres de enero a Madrid, lo primero que me encontré fue un mensaje de la madre de Margarita. «Llámame urgentemente.»

Era un mensaje raro porque yo apenas la conocía. Llamé a Luis y no estaba. No, nadie sabía dónde había ido ni cuándo volvería. Me puse nerviosa y seguí llamando a los demás amigos, Emilio, Teresa, Félix. Sólo Teresa me dio una información en clave. «Algunos se han ido de vacaciones. A otros les han invitado a quedarse.» No esperé más y llamé a la madre de Margarita, que me pidió que fuera a visitarla.

Dejé atrás el Museo del Prado y subí por la Academia hasta la tapia del Retiro. La mañana era fría, soleada, daba gusto andar. Pasé ante la Puerta de Alcalá y seguí hasta O'Donnell.

Al llegar al portal de Margarita el corazón me latía con fuerza. El nombre de su padre brillaba en una placa pulidísima de metal dorado. Debajo del nombre se leía: Doctor en Medicina, segundo izquierda. La vivienda era a la derecha. Llamé y abrió una doncella uniformada que me hizo pasar a una sala en penumbra. Se cruzó en la puerta con la madre de Margarita, que vino hacia mí, me dio un beso y, cogiéndome de la mano, me dijo: «Ven a mi cuarto. Allí estaremos bien.»

Un mirador vestido con cortinas transparentes, una camilla con falda azul, dos butacas con flores y abajo la calle. Las copas de los árboles rozaban el mirador del primer piso. Empezaban a encenderse las luces de las aceras. «Dame tu abrigo, dame», insistió nerviosa. Y lo depositó sobre la cama enorme, cubierta por una colcha también azul. Las paredes estaban empapeladas con un papel a rayas que marcaba caminos estrechos de arriba abajo, sendas cuajadas de flores amarillas, rosas, azules. Me fijaba en estos detalles porque no me atrevía a mirar de frente a la madre de mi amiga y preguntarle: ¿Qué pasa? ¿Por qué me ha llamado? ¿Qué le ocurre a Margarita?

Retrasaba el momento de oír su confidencia, su ruego o su reproche. También ella, vestida de negro, delgada, rubia como la hija pero con el pelo corto ligeramente peinado hacia atrás, parecía tomarse un tiempo para afrontar del mejor modo lo que quisiera decirme. Llamó al timbre, pidió unas tazas de té, se sentó frente a mí. Recordé que sólo la había visto otra vez. Un día que acompañé a Margarita para que dejara los libros en casa antes de ir al cine. Cuando el té estuvo servido, la madre de mi amiga se dispuso a hablar. Se veía que le costaba esfuerzo pronunciar unas palabras que le preocupaban, que la tenían tensa y agobiada hasta el extremo de derramar un poco de té cuando levantó la taza para beber. Y otra vez, al dejarla sobre el plato, tropezó con la cucharilla de plata, mal colocada, descuidadamente apoyada en el centro del plato.

«Han detenido a Margarita», dijo al fin. Y la frase brotó como un chorro de miedo, un grito de indignación, una negativa a aceptar esa realidad insólita en una familia como la suya.

«¿Por qué?», pregunté estúpidamente, puesto que yo debería saber por qué, debería imaginar la causa del desastre. Y eso fue lo que replicó la mujer con un agudo acento de ira.

«¿Por qué? Tú lo sabrás. Tú y esa pandilla de revoltosos que andáis metidos en cosas que no os importan en lugar de estudiar.» Impresionada por la falta de

161

control con que se había dirigido a mí, me levanté instintivamente. Ella trató de dominarse y cambió de actitud.

«Perdona, hija mía. Seguramente tú no tienes culpa de nada. Tú, como mi hija, tontas perdidas, haciendo caso a esos chicos de la universidad. Y a propósito de esos chicos, es importante que me digas la dirección de ese Luis, la dirección y el nombre de sus padres. Necesito localizarle, necesito que vaya a declarar que mi hija no tiene nada que ver con sus acciones subversivas...» El calificativo me sonó extraño en boca de esa madre de aspecto dulce y educado. Seguí levantada y me limité a decir. «Yo no sé nada, no sé la dirección de Luis ni el nombre de sus padres. Lo siento...» Me fui hacia la puerta y me deslicé pasillo adelante hasta encontrar la salida guiada, sobre todo, por el instinto de huida.

Las visitas a la cárcel de mujeres de Yeserías me estremecían. La algarabía de los visitantes, la imposibilidad de entenderse con la hermana, la madre, la amiga que se agarraba a los barrotes al otro lado del pasillo que nos separaba mientras gritaba para hacerse oír, me dejaba una sensación de descenso a los infiernos. Margarita sonreía. No trataba de hablar. Nos miraba y sonreía y nos enviaba saludos con la mano.

Parecía tan dueña de sí como siempre. Como cuando iba a los suburbios a repartir obsequios, como cuando tomaba la palabra en las reuniones informales de las tabernas o en esas otras que yo no conocía, en las que decidían las posturas a tomar, las acciones a emprender. Las que la habían conducido allí, a la convivencia con ladronas, prostitutas, seres violentos o débiles, seres abandonados. Mujeres a las que ella –estaba segura– había empezado ya a dirigirse para tratar de ayudarlas a subsistir, para invitarlas a extraer lo positivo de una situación que las apartaba provisionalmente del submundo que habitaban.

Luis había desaparecido. «Yo creo que estará fuera. Seguro que le ayuda su familia. Su padre es de izquierdas», me decían sus amigos. «Le conviene perderse por ahí hasta que esto se serene.» Al parecer eran los únicos en peligro, Margarita y él. Los demás seguimos asistiendo a clase y dejamos de reunirnos. Hasta que un día, a la salida de la facultad, allí estaba Luis. Se limitó a decirme. «Esta tarde a las siete en la salida del metro de Ópera. Desde allí iremos a un sitio nuevo.» No explicó dónde había estado ni cuándo había decidido regresar. La normalidad volvió a cubrir con un manto protector la vida de todos nosotros. Volvimos a beber y charlar y discutir. «Margarita saldrá pronto, ya lo veréis», había dicho Luis. «No tienen ninguna prueba contra ella; su padre se está moviendo, y además no les interesa tener estudiantes detenidos en este momento, cuando los americanos empiezan a estar interesados en España.» Un día apareció Margarita en la puerta del café. Todos la vitoreamos, olvidados de tomar las mínimas precauciones que presidían nuestros encuentros.

La detención de Margarita influyó decisivamente en mí. Ya no podía seguir siendo una espectadora que observa las piruetas peligrosas de los otros. Tenía que dar el paso definitivo. Cuando planteé a Luis mi deseo de compartir su compromiso político movió la cabeza dubitativo. «Tú estás en una situación delicada, Juana. Te pueden poner en la frontera y negarte la entrada en España...»

Pero yo insistí y razoné y le expliqué la necesidad de encontrar mi verdadera identidad, de salir de mis brumas, y sentirme de una vez para siempre arraigada en mi país.

Emilio y Félix, los dos únicos de Económicas del grupo, también querían unirse. El resto de los amigos se retiró a la discreta bruma de las aulas. No volvimos a reunirnos en cafés y tabernas. Ahora había lugares más seguros. Viviendas habitadas por familias nada sospechosas, garajes, talleres. El laberinto de las catacumbas.

Se acercaba el final de 1951. Hacía ya dos años que vivía en España. Los amigos de Octavio me llamaron para invitarme a cenar en Nochebuena: «Juana, no se te ve. Ya no sabemos qué decir a los mexicanos.»

Acepté sin pensarlo y hasta me quedé un poco sorprendida de ese asentimiento a un plan que no prometía mucho. En la cena estaba Sergio, el hijo mayor del matrimonio anfitrión. Nunca había coincidido con él en las pocas visitas que les hice al poco tiempo de llegar a Madrid. «Entonces estaba fuera», aclaró cuando se lo dije. Me sentaron a su lado, frente a los abuelos, en la mesa ovalada resplandeciente de luces, centros de flores, plata. Sergio me preguntó: «¿Qué estudias?» «Historia de América», le contesté. «¿Y tú?» Él se rió entre dientes: «Yo ya soy viejo. Terminé la carrera hace dos años. Y trabajo...» Era economista, había estado dos años en Londres y acababa de encontrar un puesto interesante en una empresa de importación. También era profesor auxiliar de uno de sus antiguos catedráticos.

La noche se me hizo corta. La presencia de Sergio tiñó la velada con las promesas nunca cumplidas de la Navidad. Fue una noche alegre, una verdadera fiesta. Cuando me acompañó a casa, ya de madrugada, yo flotaba en una nube de fantasías. Recorrimos paseando el razonable espacio que separa la plaza de Colón de la de las Cortes. Sergio me cogía el brazo cada vez que cruzábamos una calle. Al despedirnos, me apretó con fuerza la mano y me dijo: «Te llamaré algún día.»

Cuando me encontré con los amigos traté de averiguar si conocían a Sergio. Al filo de nuestras confidencias sobre las fiestas familiares, les conté mi cena con los amigos de Octavio y nombré a Sergio de un modo ligero y desinteresado. Fue Emilio el único que dio muestras de saber quién era. «En Económicas le llaman el Británico», me dijo, «porque ha pasado un tiempo en Inglaterra y es bastante distante y frío; eso dicen. Lo que es verdad es que políticamente parece aceptable. Quiero decir que se nota en las clases que da, aunque no hable directamente de nada comprometido, pero se nota, se ve...»

Eso fue todo y enseguida se pusieron a hablar de otras cosas.

Eran los últimos días del año y el 52, a punto de empezar, se presentaba con ciertas esperanzas. «Van a quitar el racionamiento; eso dicen. Por lo menos la gente vivirá un poco mejor», dijo Félix. «Sí. Y esto se consolidará más», protestó Margarita. «De acuerdo», replicó él, «pero no os dais cuenta de que nosotros somos unos privilegiados y podemos permitirnos el lujo de esperar. Pero hay gente que no puede más...» Un cierto desánimo se extendía entre los amigos. «Desengañaos», dijo Luis, «aquí no hay más salida que el exilio. Aquí no se mueve nadie. Aquí no va a cambiar nada...» «Eso no es del todo cierto», intervine yo. «¿Qué me decís de la huelga de transporte de Barcelona?» Luis se encogió de hombros: «Una chispa, una llamita en la oscuridad», replicó. Pero enseguida volvió a animarse, cuando Emilio, nuestro invencible Cara de Ratón, declaró: «Yo os apuesto algo a que no pasará mucho tiempo sin que veamos ondear en todas las ventanas la bandera de la libertad...»

Pasaban los días y Sergio no llamaba. Su despedida había sido cálida pero no concreta. «Te llamaré algún día.» La promesa sonaba como las esperanzas de Emilio: algún día cambiará todo, ya lo veréis. Decidí probar suerte y ser yo la que tomara la iniciativa. Pero necesitaba un pretexto. Doña Lola, de modo indirecto, me dio la solución: «Oye, si hablas con esa gente (esa gente era la familia de Sergio) recuérdales lo de mi sobrino. A mí no sé qué me da andarles molestando. Son tan amables conmigo. Les debo tantos favores...

Entre otros que te mandaran a vivir conmigo, Juana. No das una lata y eres lo más educado que hay...» Doña Lola conocía hacía muchos años a los amigos de Octavio. Su padre había trabajado de contable con el abuelo de Sergio y ellos siempre habían estado atentos a las necesidades de la familia de doña Lola. «Muchos, muchos favores les debemos todos. Por eso le digo a mi sobrino, no agobies, hijo mío, que no está la vida para agobiar a nadie. Aunque ya sé yo que si ellos quieren con las amistades que tienen pueden conseguir eso y más. Fíjate que a don Lucas, el padre de Sergio, le propusieron para algo del gobierno. Pero él no quiso porque, como dice mi sobrino, buenas ganas de meterse en líos. Si él tiene tanta o más influencia desde fuera que desde dentro...» Doña Lola seguía hablando y mientras tanto yo empezaba a dar vueltas a la propuesta que me acababa de hacer.

A la hora de comer preguntaría por Sergio directamente para hacerle intermediario de la petición de doña Lola. Ésa sería la mejor forma de darle una oportunidad para que me recordara. «Está de viaje», fue la respuesta cuando marqué el número y pregunté por él, mientras los latidos del corazón se aceleraban entre la emoción y la vergüenza.

Di las gracias y colgué sin dejar mi nombre. Una oleada de esperanza me traspasó. «No me ha llamado porque no está en Madrid. Cuando vuelva, seguro, me llamará...»

«Ha llamado el hijo de don Lucas, reina», me dijo un día doña Lola cuando volví de la facultad. En un primer momento no reaccioné. Debí de poner cara de extrañeza porque doña Lola insistió: «Sí, hija mía, el hijo de don Lucas, que por cierto ya le dije lo de mi sobrino para que se lo recuerde a su padre. Es un muchacho bien agradable...» Se quedó sonriendo, con la mirada perdida, mientras yo me impacientaba.

«Pero bueno, ¿para qué llamaba?», pregunté. «Para hablar contigo. Le dije que a esta hora, más o menos, volvías. Así que estará a punto de llamar...»

El restaurante estaba al otro lado de la plaza. Conocían perfectamente a Sergio. «¿Y su señor padre?», preguntó el maître. «¿Cómo está?» Nos dieron una mesa en un rincón tranquilo. Sergio me pareció mayor que el día de Nochebuena, cuando le conocí en su papel de hijo de familia.

«Estaba deseando verte», me dijo. Y yo me sentí derretida por dentro. No tenía aún suficientes defensas femeninas para haber replicado: «Pues no se nota. Hace un mes desde que nos vimos.» Por el contrario, todo lo que se me ocurrió fue: «Yo también tenía muchas ganas de verte.» «Vengo de París», me dijo. Y pidió champán. «Para celebrarlo y para celebrar este reencuentro: por París y por ti.» En algunas películas había visto escenas parecidas pero nunca las había protagonizado.

Ése fue el comienzo y luego el tiempo pasó desesperadamente rápido. Sergio hablaba y hablaba. París fue el centro de su charla. Prolongamos hasta muy tarde la sobremesa y cuando vimos que sólo nosotros permanecíamos en el restaurante, Sergio dijo: «¿Nos vamos?», y me acompañó al otro lado de la calle, hasta el portal de mi casa. Al despedirnos me entregó un paquete, plano y cuadrado, y me dijo: «Escúchalo, verás qué maravilla. Lo encontré en París. Son las canciones de Atahualpa Yupanqui.»

Aquella misma tarde llamé a Margarita y le pedí que me dejara oír los discos en su pick-up. «Mañana», me dijo. «Hoy no voy a estar.»

La tarde se disolvía en sombras pero no di la luz. Con la frente apoyada en los cristales, contemplaba la calle. Las lámparas del Palace se fueron encendiendo. Las ventanas, veladas por los visillos, dejaban pasar un suave resplandor. El vestíbulo y la puerta principal derramaban mil reflejos sobre la acera mojada. Se detenían coches y recogían a gentes que salían a la noche de Madrid. Otros llegaban, cansados, a cobijarse en el cálido refugio del hotel. De pronto empezó a nevar. Copos finísimos al principio que fueron creciendo hasta formar una cortina blanca entre mi ventana y los edificios del otro lado de la calle. Me estremecí de frío. La calefacción no era bastante para vencer a febrero. Me envolví en un poncho y seguí apoyada en el cristal. «Con Sergio podría dar la vuelta al mundo. Me iría ahora mismo, tal como estoy», pensé. Una alegría temblorosa, una congoja exaltada empezó a torturarme. Recordé con angustia que Sergio en ningún momento había dicho cuándo volvería a llamarme. Tampoco había dicho que tuviera intención de que nos encontráramos otra vez.

Las canciones de Atahualpa pasaron de mano en mano y las fuimos oyendo todos. Margarita se había entusiasmado cuando las oímos juntas por primera vez. Nos conmovía la voz y la belleza de la música y, sobre todo, la palabra.

> Mi hermano murió en la mina
> sin doctor ni confesión
> y lo enterraron los indios
> flauta de caña y tambor...

«¿De dónde lo has sacado?», me preguntaron. Y yo contesté, misteriosa: «Me lo ha traído un amigo de París.» Luis volvía a machacar con el exilio: «París, ¿os imagináis? Los libros, el cine, todo sin censura. Y sobre todo la libertad. Andar por la calle sin miedo. Hablar y cantar sin miedo... Me han dicho que en París las parejas se besan por la calle y en el metro y nadie dice nada, ni les miran, ¿qué os parece?» Todos asentíamos en silencio. Durante unos momentos nos quedábamos pensativos. «Nunca, nunca sabremos lo que es la verdadera libertad», dijo Luis, «porque aunque hubiera libertad política, lo cual es mucho decir, la sociedad no aceptaría otras libertades. Las costumbres, la vida cotidiana seguirían siendo las mismas. El peso de la Iglesia es demasiado grande. Nunca nos veremos libres de esa moralina que, hay que decirlo, se han encargado de transmitirnos nuestras madres...»

Las cartas de México llegaban al mismo ritmo de siempre. Eran cortas y transmitían noticias poco importantes. Obras en la hacienda, anécdotas de la escuela, la operación de cataratas de don Ramón. Terminaban con una breve alusión a lo mucho que todos me recordaban. Mi madre no me hablaba de su estado de ánimo, pero en su laconismo se adivinaba un fondo de tristeza. Yo sentía remordimientos porque mi vida estaba llena de sucesos diarios que me distraían. Y me sentí culpable porque mi mayor preocupación no eran las noticias de México sino las noticias que no llegaban de Sergio.

En marzo se adelantó la primavera. Brillaba el sol y estallaban breves tormentas alternando con el calor. «Esto no va a durar», decía doña Lola. «Esto es un engaño. Volverá a nevar en cualquier momento.» Pero mientras tanto los paseos por el Retiro hacían olvidar el invierno. Paseaba sola y pensaba en Sergio. Imaginaba un encuentro inesperado, el gesto de sorpresa de ambos, mi alegría imposible de disimular...

Una de aquellas tardes volvía yo embebida en mis ensoñaciones y al llegar a la puerta de la pensión percibí un olor intenso a flores recién cortadas. Y allí, en el umbral, apareció doña Lola con un ramo de lilas en los brazos. «Acaban de llegar, jovencita, son para ti.» Las recogí turbada y me encerré en mi cuarto para leer a solas la tarjeta que asomaba entre las lilas: «21 de marzo. Feliz primavera. Sergio.»

Me llamó aquella noche y le cité en el Retiro. Vino a mi encuentro casi corriendo. Me cogió las manos y se me quedó mirando en silencio. «A medida que pasaba el tiempo te recordaba más guapa», dijo al fin. «Pero no me engañaba. Era verdad...»

Paseamos por las plazas llenas de niños que jugaban vigilados por madres o niñeras. Bordeamos el estanque. Cruzamos hacia el Palacio de Cristal. Hablábamos poco. Yo esperaba alguna confesión que justificara su silencio o que por el contrario explicara su llamada. Pero no dijo nada. Se limitaba a hacer observaciones sobre los lugares que atravesábamos, sobre los árboles y las flores y la nube que justo sobre nuestras cabezas se había vuelto negra. Cuando empezó a llover corrimos hacia un enorme castaño y nos refugiamos bajo su copa. La lluvia arrancó aromas nuevos a las plantas; se mezcló entre las ramas con el sonido armonioso del agua golpeando las hojas. Estábamos apoyados en el tronco del árbol e instintivamente nos acercamos el uno al otro. Sergio me pasó su brazo por los hombros y me atrajo hacia sí con suavidad.

«¿Por qué has venido?», preguntó mi madre. Era una pregunta muy propia de ella, mitad reproche y mitad disculpa por su responsabilidad en las causas de mi viaje: la carta en la que anunciaba la enfermedad de Octavio y la boda de Merceditas. A pesar de su aparente objetividad, las dos noticias destilaban inquietud y me dejaron la impresión de que mi madre necesitaba ayuda. No obstante era inevitable que ella preguntara. «¿Por qué has venido?»

«Después de todo ya era hora que viniera», contesté. «Tú no sé, pero yo lo estaba necesitando.»

Ahí se ablandó y me pareció ver un brillo de lágrima lejana, perfectamente controlada con un rápido parpadeo.

Estábamos sentadas en la penumbra del salón, en la tarde de julio, sofocante hasta que un momento antes un chaparrón barrió con violencia el fuego del verano. En el silencio de la siesta, la hacienda tenía un frescor de cueva excavada bajo una pradera.

El salón con las ventanas herméticamente cerradas mantenía frías las gruesas paredes. Los pisos superiores, la torre, los desvanes absorbían el fuego del sol y detenían la invasión del sofoco justo en el límite del primer piso.

El almuerzo había sido excesivo. Remedios insistía para que comiera la abundante oferta de mis platos favoritos, elaborados con amorosa parsimonia. «Que me parece a mí que está más delgada la niña.» Pollo picante, chile, pimienta, mostaza, mole. Oleadas de fuego me atravesaban el estómago desajustado todavía al horario y los sabores.

Mi madre se ocupaba de Octavio, lo dejaba instalado en el dormitorio tapado hasta la barbilla «porque tiene siempre frío, le digo que eso sí que es mala señal. Siempre anda helado con estas sofocaciones que pasamos todos...». Remedios revisaba todo lo necesario para el café y hablaba sin parar.

Cuando llegué, la tarde anterior, había encontrado a Octavio mal. Muy delgado, la tez amarillenta, la nariz afilada y los pómulos salientes que dejaban caer unas mejillas fláccidas. Pero sobre todo me impresionó la figura encorvada, el esfuerzo para avanzar el tronco cuando se inclinó sobre mí para darme el abrazo de bienvenida. Sonrió débilmente: «Tanto tiempo, Juana, y qué rápido ha pasado...» Y se recostó de nuevo en el sillón, mientras Merceditas le arreglaba almohadas, le acariciaba el pelo, le limpiaba la frente con un pañuelo finísimo.

Por la mañana ella había ido a Puebla con Damián en un coche nuevo que su padre le había regalado por su último cumpleaños. «Tengo tanto que hacer con esta dichosa boda...» «Todo menos dichosa, Virgencita, todo menos alegre», murmuró Remedios. Se veía que estaba deseando ponerme al día de todas las penas. «Si fue marcharse usted y yo lo dije: ha sido irse Juanita y se nos viene encima la desgracia. Primero la tristeza que nos dejó, que su mamá no dirá nada pero ella adelgazó hasta quedarse como la espina de la palma. Y el amo que no fue ya más el mismo, que se le veía reconcomido por dentro, pero no crea usted que por la lagartona, no, pienso yo que la conciencia no le dejaba vivir. Miraba a su mamá y le veía yo esos ojos más negros que el zopilote y esas ojeras que las tenía como las hojas secas que caen y las venillas se les van poniendo amarillas y marrones y rojizas con los chaparrones, pues así mismito tenía las ojeras... y se quedaba mirando a su madre... ella siempre con las manos ocupadas, que un bordado, que un libro, que un cuaderno de los chicos para retocarlo. Yo le veía sufrir y me decía: Remedios, qué vida tan difícil la de este hombre. Hacer lo que no debe y purgarlo luego tan malamente... La pobre Merceditas, qué juventud, madre mía, cómo puede una niña vivir así entre el padre suspirante y doña Gabriela cada vez más callada. Y no es que ella no se ocupara de la niña, que la miraba siempre con cariño, con complacencia y trataba de interesarse por sus cosas; y además creo yo que, al no estar usted, para su mamá esta niña sería un consuelo, como una hijita más, como ha sido desde el primer día...»

Me debatía entre el sueño que me pesaba en los párpados y el deseo de estar despierta y escuchar a Remedios, que compensaba el silencio de mi madre con sus interpretaciones particulares de unos hechos concretos: la enfermedad de Octavio y el anuncio de la boda de Merceditas a la que mi madre había dedicado exactamente cuatro líneas en su carta: «Merceditas se va a casar. Él es un buen chico, tiene dinero y pertenece a una familia conocida de Puebla. Ha sido la tía quien la ha conducido hacia ese chico y a esa decisión de la boda un poco precipitada por miedo, me parece, a que su padre no pueda asistir.» Nada más. Pero no fue capaz de decirme: «Debes venir.» No lo dijo porque nunca hubiera influido para que yo tomase una decisión que debía ser libre y que además iba a demostrarle si mi reacción respondía a lo que ella esperaba de mí, que acudiera enseguida, o bien se había equivocado y yo no era capaz de dar un paso generoso por mí misma. De todos modos, cuando dije: «Voy en cuanto me den las vacaciones y pasaré el verano con vosotros», tampoco recibió con alegría mi decisión. Se limitó a escribir: «Está bien.» Y a preguntar, en el primer momento en que estuvimos solas: «¿Por qué has venido?»

Encontré mi cuarto como lo había dejado. Revisé

mis libros, los de estudio y los otros, las novelas de mi adolescencia. Al hojearlos tuve la sensación de que había pasado muchísimo tiempo desde que aquellas páginas suscitaban en mí sentimientos confusos de amores imposibles. Sin embargo, al asomarme a la ventana y ver el campo que nos rodeaba, la gente de la hacienda que entraba y salía a sus trabajos, el cielo azul que se nublaba al atardecer con la amenaza de la tormenta, el olor del aire y de la tierra, me pareció que nunca había salido de allí.

Sobre mi mesa de trabajo había un jarrón con flores amarillas.

¿Mi madre? ¿Remedios? Merceditas, estaba segura. Merceditas, atenta a mi llegada, contenta de verme. Merceditas que se iba a casar muy joven obedeciendo a leyes no escritas que regían la vida de su familia. «No puedes quedarte sola. Tu padre se va a morir y necesitas un hombre cerca.» Recordaba su melancolía cuando me fui a Ciudad de México y pretendía animarla diciendo: «Pronto irás tú también.» «Yo no iré», aseguró. Aunque Octavio estaba entonces sano y fuerte y suficientemente joven para emprender una aventura apasionada. «Nunca dejaré a mi padre», había dicho Merceditas. El recuerdo de esa frase despertó en mi memoria otra parecida de Amelia: «Creo que no fui a la universidad por no separarme de mis padres.» Una reflexión inevitable se interpuso en mis recuerdos: yo me había ido para separarme de mi madre, yo había necesitado dejar atrás la pesadumbre de mi madre, sus trajes negros enlutándola desde tan joven, yo me había ido para vivir sin remordimiento mi propia vida. No era un acto de rebeldía. Yo quería a mi madre, admiraba su entrega a los demás, le agradecía todo lo que me había dado, lo que me había exigido. Pero necesitaba huir de ella, del rictus ácido de su boca, del reproche callado de sus miradas. El reproche nos alcanzaba a todos, nos envolvía en un cerco oprimente, pero especialmente a mí. Me sentía siempre culpable de un error, una omisión o un exceso. Es verdad que la historia de Soledad había acentuado la tristeza y la reserva de mi madre. Pero la opresión que me producía era más profunda, venía de atrás, de la niñez, de los años de la guerra, de cualquier momento que pudiese recordar.

Para cada uno de esos momentos ya había encontrado una explicación. La muerte de mi padre y el abuelo, la derrota, la hostilidad de los vencedores, el aislamiento y la escasez, la muerte de la abuela. Pero después, cuando Octavio entró en nuestras vidas todo había cambiado. La negrura, los lutos, el porvenir incierto quedaron atrás. Durante un tiempo esperé ver a mi madre transformada en una mujer alegre. La recordaba cuando inició el viaje de recién casada por México. Pero, poco a poco, todo se volvió serio y áspero de nuevo. Renacieron los viejos temores, el miedo a la vida, a todo lo que de inesperado y espontáneo y arriesgado tiene la vida: «Cuidado, no hagas esto, cuidado, cuidado.»

Un manto de aflicción me cubría en presencia de mi madre. Al llegar a la adolescencia tuve una clara visión de mi futuro. Tenía que separarme de ella para ser yo misma, para poder equivocarme sola, para estar alegre y vestirme por dentro de amarillos y rojos y azules.

«Acompaña a Merceditas. Vete a ver a don Ramón y doña Adela. Con un poco de suerte encontrarás allí a Rosalía», había dicho mi madre.

Como en otros tiempos, Damián nos condujo a la ciudad. Puebla se adormecía a nuestros pies. Una bruma tenue desdibujaba los perfiles de las iglesias. En las últimas curvas, Merceditas dijo: «Vengo todos los días. Con tanta cosa que preparar. La tía Adela me acompaña, pero así y todo...»

Había hecho el recorrido en silencio, recogida en sus cavilaciones. Me miró y sonrió fugazmente, lo justo para hacerme sentir que estaba encantada de tenerme cerca, que sus preocupaciones eran ajenas a mí y yo podía hacer poco por mitigarlas. Cogí su mano, desmayada sobre el asiento, y la apreté con fuerza.

Al llegar a casa de doña Adela, Merceditas cambió por completo. Aquí daba la imagen de la novia caprichosa y feliz. Enumeraba listas de recados urgentes: zapatos, trajes, cintas, bañadores, pañuelos. Y otros menos apremiantes: el pintor, la cocina, el vestidor, el baño. «Viviremos en Puebla, en un hermoso apartamento que nos dejan mis suegros. Pero eso no corre prisa. Yo, de momento, quiero seguir en la hacienda descansando una buena temporada...» De momento, es decir, hasta que Octavio desaparezca.

«A Tacho le conocerás en unos días. Está de viaje. No para el pobrecito», me aclaró doña Adela.

A cada instante se dirigía a su sobrina: «Acuérdate de Rosalía. ¿Qué le dije yo? Eso no te va, eso no es lo que necesitas. Al final tuvo que darme la razón pero cuando no tenía remedio... Porque estarás de acuerdo en que aquellos tacones para el viaje de novios... Igual que la capa. ¿Una capa para qué? Y a ti te digo lo mismo: si vais a California, ¿para qué tanta cosa? Ropa de playa y basta.»

Ahogaba su tristeza por la enfermedad del hermano en mareas de actividad.

«La celebración va a ser en la hacienda, claro. No vamos a moveros a todos de allí con lo bonito que puede resultar. Ya estoy viendo la casa y la explanada adornada de cadenetas de colores para el baile...»

Desde que llegué estaba deseando tener una oportunidad de hablar a solas con mi madre sobre la enfermedad de Octavio. Acerca de su gravedad no me cabían dudas. La sola contemplación de su ruina física era alarmante. Fue Rosalía, que apareció exhibiendo con orgullo un embarazo avanzado, la que me dio la temida aclaración. En un momento en que su madre revisaba con Merceditas unas pruebas de la modista, Rosalía me dijo: «¿Has visto qué horror lo del tío Octavio?» Yo incliné la cabeza y estaba a punto de preguntarle, cuando ella se adelantó a decirme: «Cáncer.» La apocalíptica palabra quedó suspendida en el aire. Durante el resto de la tarde no pude articular una frase.

Hundido en su butaca, don Ramón aparentaba estar dormido. Me dio pena contemplar su soledad. Imaginar la angustia que había venido a turbar su dulce vida vacía.

«Ándele niña. Claro que se casará usted, como todas. Mucho hablar pero luego llega la hora y ya está... Y no me diga que no hay allá buenos mozos. Cualquier día... Además que la veo yo muy guapa y muy mujer. Ay, mire qué bien le ha venido el aire de su tierra...»

El único cambio que observé en Remedios es que ahora me trataba de usted. Me daba noticias de toda la hacienda:

«Carolita ya no está. Se ha ido a Ciudad de México a vivir..., dicen. A tirarse a la vida, digo yo... Damián tiene novia. Ah, sí, Damián mientras más viejo más pendejo. Novia de llevarla a casa y vivir en ella como señora, pero de pasar por la iglesia, nada. Como él es tan revolucionario... Lupita, la Lupita que usted tanto quería, la que se fue al pueblo de abajo cuando se casó, ésa ya tiene dos hijos. No comen bastante, pero venga hijos. Ay qué miseria de mujeres, ay qué ignorancia, Juanita. De eso también les debía hablar a las niñas su mamá. Les debía dar clase de eso, de no tener tanto hijo, de no arruinarse la vida. Pero luego vienen esos brutos de maridos y no las dejan en paz hasta que las cargan de familia. A ellos también les debía enseñar doña Gabriela cómo y de qué manera hacer las cosas...»

Se lo conté a mi madre, sobre todo por distraerla.

«La escuela», suspiró, «la escuela es lo último que dejaré. Que sepan leer y escribir por lo menos, que aprendan un poco de todo lo que puedan... que no es demasiado. Necesito más tiempo...» Parecía muy cansada. Ahora tenía que ocuparse de la hacienda y se encerraba cada tarde a despachar con el administrador. El cuidado constante de Octavio era una obsesión. Seguía sin hablarme de su enfermedad. No encontraba momento para que estuviéramos solas y tranquilas. Pienso que tampoco hacía nada por buscarlo. No me preguntó por mis estudios ni por mi vida en Madrid. Yo trataba de hablarle aunque no me lo pidiera. Le contaba anécdotas que podían interesarle pero no lograba sacarla de su ensimismamiento. Parecía estar en otra parte, atenta a otros sonidos, abstraída en previsiones que ocupaban su imaginación. Observé que su pelo negro estaba empezando a convertirse en gris. Me di cuenta de que mi madre nunca más encontraría una ocasión para cambiar. No podía sucederle nada bueno, brillante, imprevisto que la ayudara a ser feliz. Vivía insatisfecha y herida. Y era incapaz de capturar algunos de esos momentos que llegan y pasan furtivamente y nos dejan pequeñas luces, chispas luminosas que nos señalan el camino a seguir.

Sólo en una ocasión pareció salir de su ausencia habitual.

«¿Sabes a quién conocí un día?» Se quedó esperando a que continuara con un asomo de curiosidad en la mirada. «Al hijo de Amadeo. Nació en plena guerra. Ya había nacido cuando él estuvo en casa aquella noche, ¿te acuerdas? Cuando pasamos tanto miedo la abuela y yo. ¿Tú sabías lo del hijo? La madre era una compañera de guerra de Amadeo... Bueno, pues le conté la aventura de aquel día... El padre murió en Francia, en la guerra, luchando en un batallón de españoles, ¿lo sabías?»

Mostró escaso interés por la noticia, como si ninguna emoción nueva pudiera distraerla de sus pesares. Pero me detuvo en seco cuando yo intentaba ampliar mi información y dijo:

«¿Cómo y cuándo has encontrado tú a ese chico?»

Una sombra de temor cruzó su rostro.

«¿Con quién andas, Juana? ¿Qué vida haces?»

Yo me eché a reír y traté de tranquilizarla.

«En la universidad, mamá, con amigos comunes. No sé cómo, hablamos del pueblo en que yo había nacido y se quedó asombrado porque su padre también era de allí... y todo lo demás fue saliendo sin querer... Es más joven que yo y vive con su madre.»

Pareció tranquilizarse. Pero no le dije la verdad. Le conocía de una de nuestras reuniones clandestinas en una sacristía, donde nos reuníamos a la sombra de un cura obrero. El hijo de Amadeo vivía en aquella barriada sórdida, de calles sin un árbol y casas baratas que se desmoronaban al poco tiempo de estar habitadas. Casas para campesinos recién llegados, emigrantes de pueblos míseros en busca de un futuro mejor. El hijo de Amadeo no iba a la universidad.

Obligué a mi madre a hacerse un traje claro para la boda de Merceditas. Ella debió de entender la razón de mi insistencia. No podía vestirse de negro, acentuar su tristeza en una circunstancia tan difícil. Cuando la vi con un traje violeta y un tocado de gasa y flores, me di cuenta de hasta qué punto había adelgazado. Curiosamente, su extrema delgadez dentro del traje ajustado la rejuvenecía a pesar de los rasgos afilados del rostro, de las manos huesudas que aferraban un bolso de pasamanería. Octavio interpretó su papel de padrino con la máxima elegancia. Avanzó del brazo de su hija, apoyado en un bastón con el puño de plata hasta el altar de la iglesia, la del pueblecito que se extendía a los pies de la hacienda. Para la ceremonia le habían preparado un sillón y ya no se movió aunque todos vimos el esfuerzo que hacía para mantenerse erguido, para sonreír a su hija que le miraba de reojo. Luego, al regreso, entró en la casa apoyado en mi madre y en Damián. Se quedó en la fiesta sólo lo justo para brindar varias veces con todos; lo suficiente para dejar a los invitados acomodados por salas y salones.

Cena fría, cena de pie, se había anunciado en las invitaciones. La cena fue caliente en parte y todos pudieron sentarse, distribuidos por butacas y sofás. Pero se evitó el temido protocolo, cabecera, padrinos y parientes en el orden tradicional.

Desde la llegada de los novios la música sonaba en la explanada. Valses, danzones, foxes para el baile. Y las melodías cargadas de nostalgia de la música mexicana.

... México lindo y querido
si muero lejos de ti...

Octavio moriría aquí, en su México, en su hacienda, al lado de su hija y su mujer. Pero yo no estaría. No quería asistir a la despedida final.

Me quedé dos meses en la hacienda. No me moví de allí. No tenía interés en viajar a Ciudad de México. No quería ver a nadie. Las causas de mi viaje eran muy concretas. Hasta el último momento quería estar con mi madre y con Octavio. Después de la boda de Merceditas los dos parecían más tranquilos. Como si se hubiese cumplido una condición muy importante para asegurar el futuro de la niña. Porque a mí me pareció más niña que nunca, cuando se fue, llorosa, de la mano de su marido hacia el viaje de novios. «Volveremos muy pronto», le dijo a su padre. «Justito ir y volver. Ya verás...»

El marido era tímido, también muy jovencito. Parecían dos adolescentes jugando a ser mayores. «Él es muy tierno», me dijo mi madre. «Se quieren mucho. Y su vida está completamente resuelta. Es una familia larga y unida, y Merceditas se sentirá a gusto con ellos.» Hablaba del futuro. Hablaba de la desaparición de Octavio. «No nos vamos a quedar aquí las dos, encerradas y aisladas de todo. Creo que Adela ha hecho bien en adelantar la boda. ¿A qué esperar un año o dos? Se quieren mucho, son novios desde que ella hizo los quince, ¿a qué esperar?»

El verano transcurrió serenamente. La salud de Octavio se iba agotando poco a poco. El regreso de Merceditas le reanimó por un tiempo. Luego volvió a caer en el sopor de su dolencia. Reclinado en la cama, con almohadas en la espalda, era como se encontraba mejor. Una semana antes de que yo me fuera quiso reunirse con mi madre y su abogado. Durante dos horas permanecieron encerrados. Cuando se marchó el abogado, mi madre habló con Merceditas y conmigo.

«Tu padre quiere hacer testamento», le dijo a Merceditas. «Todo lo de tu madre es tuyo por derecho propio. Lo de tu padre, en su mayor parte. Él quiere dejarme una renta de por vida y otro tanto a Juana hasta que termine sus estudios y empiece a trabajar. Es su voluntad. Quiero que sepas que he discutido mucho con él para que rebajara nuestras asignaciones. Pero no ha aceptado bajar de los mínimos que él mismo marcó...»

Merceditas se refugió en mi madre llorando. Yo abracé a las dos y así permanecimos un rato, conscientes las tres de nuestra próxima orfandad.

Sergio era mi secreto. No le hablé a mi madre de él, ni de la historia de amor que estábamos viviendo. Tampoco le hablé de su ático en Rosales desde el que se veía el suntuoso verdor de la Casa de Campo. Las copas de los árboles señalaban, con una línea ondulada, un horizonte verde. Me parecía que detrás de esas líneas estaba el mar. Abajo, en lo hondo, se adivinaba apenas el Manzanares. Una fila de chopos limitaba sus orillas y se oía el silbido de los trenes del Norte pidiendo entrada en la ciudad.

Mi relación con Sergio había ido derivando de modo natural a una experiencia sexual plena. Solos, exaltados por la conciencia de nuestra libertad, vivimos nuestro amor con intensidad, desvinculados de toda norma hipócrita. La boda de Merceditas me había dejado un sabor agridulce. Mis ideas habían ido definiéndose en todos los sentidos y yo participaba, por

185

esas fechas, de unos principios de independencia, feminismo incipiente y rebeldía que tenían mucho que ver con el ambiente político y social de mis amigos universitarios.

Volvía cada noche a la pensión de doña Lola. Mis tardes transcurrían en el estudio de Sergio, trabajando o leyendo hasta que él llegaba. Pero no quería abandonar la pensión. Sabía que era impensable alterar el orden de mis costumbres. La moral de doña Lola se encresparía. Ella no sospechaba el rumbo que había tomado mi vida personal. Creo que este rumbo hubiera sorprendido por igual a doña Lola y a mi madre. Una desde los sólidos principios católicos y la otra desde su puritanismo laico, coincidían ambas, con diferentes matices, en rechazar una relación total entre un hombre y una mujer, a no ser dentro del matrimonio, fuera éste civil o religioso.

Mi madre nunca me había planteado directamente este problema, pero yo sabía o quizá, sobre todo, temía su punto de vista. Desde niña había vivido aquella atmósfera en que mi abuelo la había formado. Una mezcla de renuncia a los placeres propia del espíritu castellano y la exaltación de los valores morales característica de las éticas no confesionales. Por eso me imaginaba que las dos, mi madre y su confiada representante, habrían descubierto con pasmo y frustración mi apasionada unión con Sergio y la pérdida del tesoro del que había oído hablar siempre a las mujeres vestidas de negro que me rodeaban: la virginidad.

Cuando Sergio entró en mi vida, y por influencia suya, me dediqué a leer ensayos, textos básicos sobre marxismo, análisis críticos sobre temas de actualidad. Discutíamos. Yo encontraba en Sergio una intransigencia dogmática que chocaba con mi tendencia espontánea a la comprensión y la flexibilidad.

«El Británico es un duro», me dijo un día Emilio. «Uno de los más duros de la facultad.» Yo no hice comentarios ni traté de que me explicara más a fondo las razones de su afirmación, porque quería mantener mientras fuera posible el secreto de nuestra relación. En los primeros tiempos esto fue fácil, porque Sergio y yo nos encontrábamos de tarde en tarde. Pero en el curso que acababa de empezar nos veíamos casi a diario y eso me impedía asistir con asiduidad a las reuniones que no fueran muy importantes. Acababa de iniciar el último año de mi carrera y el exceso de trabajo era la razón que esgrimía para explicar mis frecuentes ausencias.

Margarita no acababa de creerse mis disculpas. De un modo sutil trataba de hacerme llegar su convencimiento de que había algo que yo no confesaba en mi relativo alejamiento del grupo.

Un día fue a esperarme a la facultad. Como en los viejos tiempos nos fuimos juntas al bar, pero enseguida sugirió: «¿Nos vamos andando hasta la Moncloa?»

A poco de iniciar el paseo se detuvo en seco y me dijo: «No te molestes en seguir fingiendo porque lo sé todo.» Creo que me ruboricé. Me daba cuenta de la traición que suponía mi empeño en ocultar el cambio que había sufrido mi vida. Ella continuó. «A través de un amigo común sé lo que está ocurriendo entre tú y Sergio. Antes de nada quiero que me digas lo que todo esto significa para ti.» En un impulso apreté el brazo de Margarita y le dije: «Estoy loca por él.» Luego le conté toda la historia hasta llegar a aquel momento: «Cuando volví de México supe que no podría vivir sin Sergio. No pienso en mi madre ni en la enfermedad de Octavio, los veo a todos lejos, y ajenos a mí. Creo que no os he hablado de ello porque es algo demasiado intenso, me desborda, me abruma esta situación. Y a la vez ha dado un sentido pleno a mi vida. Creo que estoy obsesiona-da...», terminé tratando de sonreír.

Margarita esperó un instante y luego dijo: «Te agradezco que hayas sido sincera, pero yo también quiero serlo contigo. Ten cuidado, Juana, Sergio vive enloquecido con la política. Sacrificará todo a su actividad política. Es muy inteligente y muy valiente, pero es duro y me da miedo que acabe haciéndote daño. Por otra parte está bastante fichado y yo creo que sólo por lo influyente que es su padre no han tratado de echarle la mano encima por ahora...»

No me sentí con fuerzas para replicar a Margarita, para decirle los extremos de ternura a que podía llegar Sergio, lo absorbente de su pasión por mí, la sensibilidad con que captaba mis problemas y la energía con que me ayudaba a resolverlos.

Nos despedimos al llegar a Princesa. Yo bajé caminando despacio hacia Rosales. Trataba de ordenar los sentimientos encontrados que había desencadenado la conversación con Margarita. En el fondo el resultado era positivo. Me sentía liberada de un secreto que me tenía violenta y esquiva con mis amigos. Por asociación de ideas recordé a Amelia. Hacía bastante tiempo que no nos escribíamos y sentí nostalgia de su amistad.

La familia de Amelia me invitaba en verano a la casa que tenían en un pueblo de Asturias, la casa que fue de los abuelos maternos, pero este año el viaje a México me había impedido ir.

El pueblo era pequeño y se apiñaba entre la montaña y el mar; una franja de prados verdes que se deslizaban en abrupta pendiente hasta la costa. La casa de los abuelos estaba en las afueras del pueblo, sobre una playa salvaje que formaba una pequeña ensenada entre rocas y arenas. El mar golpeaba con violencia los farallones que protegían la entrada natural de la playa. Cuando subía la marea había que retroceder hasta alcanzar el sendero que bajaba bruscamente de la casa al mar. Bañarse allí era un gozo, una aventura sin riesgo. El agua entraba con fuerza pero nunca tanto como para temer ser arrastrados.

Por la tarde leíamos o nos sentábamos en el porche cubierto de cristal que daba al mar. Podíamos pasar horas contemplando el color del agua, la furia embravecida de las olas.

En la planta baja estaba el salón. Allí coincidíamos todos a la noche y la charla se prolongaba durante horas. Solía acudir el médico y nos contaba historias del pueblo, sucesos de la guerra, miserias y heroicidades de los pescadores. «Fíjate, Juana, muchos de esos viejos que ves tomando el sol delante de la iglesia han estado en México o en Cuba. Se fueron a hacer fortuna cuando eran jóvenes y la mayoría han vuelto sin un duro. Pero cuentan historias de allá que te gustaría oír...»

Cuando había romería nos íbamos los jóvenes a bailar en los prados o delante de las ermitas. Los amigos de Sebastián eran como él, excelentes compañeros que nos escoltaban a todas partes.

El recuerdo de Amelia me devolvía la armonía, el equilibrio, la paz. Todo lo contrario del estado de ánimo que dominaba mi existencia desde que mi amor por Sergio me transportaba del arrebato a la desazón, de la exaltación a la tristeza.

El primero de noviembre amaneció nublado. Por la calle me había encontrado gentes con ramos de flores camino de los cementerios. Los crisantemos blancos y amarillos, en latas llenas de agua, esperaban comprador a la entrada del metro, a la puerta de un mercado cerrado, en una esquina. La sugestión de la fecha me entristeció. El culto a los muertos me estremecía y lo rechazaba con energía pero el espectáculo de la calle me impedía olvidar. Al entrar en el edificio del estudio de Sergio me crucé con la portera, una vieja ácida y enlutada que casi nunca me saludaba. También ella transportaba en sus brazos un ramo de claveles pálidos. Cuando el ascensor me dejó en el último piso llamé con fuerza, deseando entrar cuanto antes para ponerme a salvo de tanta alusión fúnebre. Sergio me abrió risueño, ajeno por completo al significado del día. «¿Qué ocurre?», preguntó al ver mi expresión seria. «Nada grave. Que no puedo soportar la necrofilia de la gente. Será porque ya tengo suficientes muertos y no quiero aceptarlo. Quiero recordarlos a todos vivos...»

Me quité la gabardina y me derrumbé en el sofá. Sergio vino a sentarse a mi lado. Parecía contento. «He terminado el trabajo que voy a enviar a la revista de la facultad. Te lo leeré si te interesa.» «Sí, me interesa», respondí. Pero estaba deseando que me besara. Él entendió mi deseo, o quizás estaba sintiendo lo mismo porque me recibió en sus brazos en un súbito impulso.

Yo fui la primera en verla. Me desasí violentamente de Sergio y me alejé de él. La puerta del estudio se había abierto sin ruido y allí, en el umbral, estaba su madre, la mujer de don Lucas, el amigo de Octavio.

Sergio se quedó mudo. Yo permanecí sentada, incapaz de moverme. Ella sí fue capaz de actuar. Nos amenazó con la mano enguantada y avanzó hacia nosotros. Yo esperé un ataque físico, pero no nos tocó.

Me pareció más alta, más grande que en su casa. Llevaba un traje negro con el cuello de piel. Sus tacones finísimos la hacían más esbelta. Era joven, pero su rostro crispado había envejecido repentinamente. De sus labios surgieron palabras que me golpearon con fuerza inusitada.

«Era verdad», gritó. «Nunca lo hubiera esperado de ti.» Se dirigió a mí en un principio como si no viera a su hijo o como si le considerara víctima de mi perversión. Luego habló en plural: «Estáis locos... No tenéis vergüenza... No pensáis en las consecuencias de vuestros actos. Sois basura...»

Sergio permanecía paralizado. No intentaba calmar a su madre y tampoco trató de acercarse a mí, de hacer el menor gesto de protección o ayuda. De pronto reaccioné. Recogí la gabardina y me fui hacia la puerta, que seguía abierta. No la cerré. Escaleras abajo seguía oyendo el tono agrio de la madre ofendida, recriminando a Sergio.

Aquella noche no pude dormir. Como una pesadilla, la escena del estudio volvía a repetirse una y otra vez en mi imaginación. Trataba de revivir mis impresiones, la sorpresa, el miedo, la humillación y la vergüenza. Y la certidumbre irreparable de la cobardía de Sergio.

La tortura del insomnio me acompañó hasta el amanecer. Esperaba la llegada del día como una salvación. Pero ¿qué esperaba? Nada que pudiera hacer retroceder el tiempo hasta un momento antes de la irrupción de la madre de Sergio en nuestra intimidad. Nada ante la sorprendente conducta de Sergio. Nada después de las palabras pronunciadas y de las que no se pronunciaron. Reconstruí el instante en que decidí desaparecer. Fue una decisión urgente y perfectamente lúcida. Como un relámpago me había deslumbrado la claridad inevitable de un final. Nunca jamás, me repetía. Es el final y para siempre.

Cuando abandoné el estudio, las últimas palabras que oí se referían a mí: «Se lo haremos saber a Octavio. Debe saberlo. Es nuestra obligación.» Pero Octavio no lo supo nunca. No fue necesario. A primera hora del día siguiente llegó un telegrama. «Octavio ha muerto. No vengas. Sigue carta. Te quiero mucho. Mamá.»

«¡Qué día, cielo santo! Qué día para morir», loriqueó doña Lola. Había esperado en la puerta de mi habitación, convencida de la catástrofe que encerraba el papel azul doblado. «El día de Todos los Santos, ¿será posible?» Una serenidad imprevisible me dominaba. La conciencia del derrumbe total había alejado el temor a ese derrumbe. La catástrofe me pertenecía, la había aceptado, ya era mía, y no me amenazaría nunca más. Lentamente desayuné, me arreglé, decidí poner un telegrama a México antes de ir a la facultad. Llamé a Margarita muy temprano y le di la noticia de la muerte de Octavio. Prometió ir a buscarme a la segunda hora de clase, en cuanto ella resolviera sus ocupaciones más urgentes.

Doña Lola me miraba un poco extrañada: «Ay, qué malo es estar tan serena. Llora y desahógate, hija mía, que te sentirás mejor.» Pero no podía llorar. «Llama a don Lucas, que era amigo de tu padrastro y se portó tan bien contigo...» «Es demasiado tarde», le contesté. Y ella se me quedó mirando sorprendida, temerosa de que hubiese perdido la razón. «Querrás decir demasiado temprano, criatura», observó. Cuando alcancé la calle miré atrás y allí estaba, asomada tras los visillos viéndome partir, preocupada por mí y sin saber cómo emplear su compasión cargada de buenas intenciones.

Margarita me dejó hablar. «Lo esperaba», le dije, «pero no tan pronto. O sí. En realidad sabía que ocurriría pero no me atrevía a calcular cuándo... Mi madre no ha tenido mucha suerte. Y luego está su terrible pesimismo. Aunque ese pesimismo le va a servir ahora de consuelo. A ella le da miedo la felicidad. Siempre que ocurre algo bueno se siente en falta. Cree que es una aberración ser feliz, algo que no se espera de la condición humana. Por eso hay que pagar un precio enorme por los momentos felices...»

Yo hablaba y hablaba, y Margarita me dejaba hablar. Era la medicina que necesitaba. Era mi terapia.

«Recuerdo a mi madre siempre de negro, negro sobre negro. Primero fue España. Y luego México, que no es alegre. Parece alegre por el color. Pero mi madre se dio cuenta enseguida, comprendió que la naturaleza, el fondo del pueblo mexicano es en blanco y negro. Captó esa ausencia de color en lo más profundo de lo mexicano. El color, allí, arropa lo externo, *es* lo externo. Pero por dentro el negro lo invade todo... El negro es la nada, el vacío, el no ser. El blanco es la fría luz de la conciencia, la percepción de lo que está bien, la verdad en estado puro e inalcanzable. Sin embargo, el color es una agresión, es la confusión, el exceso, el derroche. Me parece que mi madre siente la vida en blanco y negro.»

De pronto no pude continuar. Margarita escuchaba, respetuosa, mis desordenadas confesiones. «Perdona mi desahogo», le dije, «lo estaba necesitando.» Ella sonrió en silencio, esperando. Porque era evidente que no había terminado. Que quizá lo más importante era lo que me faltaba por decir. Estábamos sentadas ante el velador de un café que solíamos frecuentar últimamente. A esa hora, el lugar estaba tranquilo. Sólo algunos viejos miraban pasar las sombras de los recuerdos a través del cristal. Me armé de valor y dije: «He terminado para siempre con Sergio...»

Pasaron los días y yo circulaba de un lado a otro llevada por las rutinas cotidianas. Mi congoja oscilaba entre el recuerdo de la muerte de Octavio y la increíble deserción de Sergio. Escribí a mi madre una carta larga y meditada. Por primera vez fui yo la consejera, la protectora, «por favor, cuídate mucho. No caigas en tu eterno negativismo. No entiendo por qué no aprovechas este momento para hacer un viaje a España. Franco vive, pero el país también vive, y es tu país... Hay que tener el valor para regresar. El valor moral, porque a ti no va a ocurrirte nada. Te fuiste voluntariamente y puedes volver cuando quieras».

Mi carta se cruzó con la suya. «Ya sé lo que vas a decirme: que regrese a España. Pero no puedo ni quiero. La hacienda me necesita por ahora y Merceditas está la pobre tan desconcertada que no puedo pensar en abandonarla aunque tenga a su marido y a sus tíos. Está embarazada y se lamenta de que el niño no haya nacido a tiempo para que lo conociera Octavio. Pero el niño no nacerá hasta junio y quiero estar aquí cuando eso ocurra. En cuanto a ti, termina tu carrera tranquila y luego ya hablaremos. Quizás en el verano te apetezca venir. En este momento sólo serías una más a sufrir y yo quiero evitarte el sufrimiento...»

El otro sufrimiento, el que mi madre no podía imaginar, persistía. Sergio no daba señales de vida, pero no me sorprendió.

Con Margarita, el día de nuestro encuentro, analicé minuciosamente las razones de la incoherente actitud de Sergio. ¿Dónde estaba su rebeldía? ¿Dónde sus afanes revolucionarios, sus ataques al sistema, su enardecimiento cuando ensalzaba la libertad de costumbres de los jóvenes en Londres o en París? Todo era un gran engaño, una falacia, una ambivalencia profunda. Margarita movió la cabeza dubitativamente: «No estoy tan segura de que las cosas sean exactamente así. Sergio hubiera sido valiente ante un comisario de policía que hubiese entrado en su estudio a detenerle. Valiente y firme. Pero su madre es otra cosa. No es que él esté de acuerdo, es que se considera incapaz de liberarse. Sergio puede ir a la cárcel por su actividad política, pero no romperá con su familia por ti...»

Me convenía a medias esa argumentación. Más bien creía que yo le gustaba, le atraía, y no encontró la menor resistencia para que llegáramos a ser amantes. Y nada más. En eso me daba la razón Margarita: «No dudes que aquí y en la clase social de Sergio, a pesar de sus ideas tan opuestas a las de su familia, acabará coincidiendo con ellos en la elección de una mujer para toda la vida...»

Se acercaban las Navidades y yo estaba dispuesta a pasarlas con Amelia y su familia. Necesitaba salir de Madrid y la idea de estar unos días con amigos tan queridos me llenaba de tranquilidad. Había recibido varias cartas de México. De Merceditas que contestaba a una mía. De doña Adela, don Ramón y Rosalía. De mi madre que trataba de mostrarse alegre y me deseaba toda clase de venturas para el año nuevo. También añadía un mensaje de Remedios: «A mi niña, que nos regrese pronto, que es una alegría oírla hablar y reír por esta casa tan vacía...»

La tarde del día veintidós salía yo de Madrid. Esa mañana llegó un centro de rosas rojas, capullos a medio abrir.

«De invernadero, Juana, mira qué cosa más bonita...», dijo doña Lola al pasármelas a mi cuarto. Entre las rosas asomaba un sobre blanco con una tarjeta en la que había una sola palabra escrita: «Perdóname.» La rompí en mil pedazos y le entregué las flores a doña Lola: «Para usted. Yo me marcho esta tarde...»

En el tren, mientras discurría ante la ventanilla el paisaje agreste de la Sierra, iba pensando: «Estoy mejor. Mucho mejor. Voy a empezar a curarme.» Aunque una leve náusea me revolvió por dentro al recordar la tarjeta anónima, la letra inconfundible y las rosas.

Los momentos negros pasaban y durante unos días vivía presa de una euforia física. Tenía ganas de comer, de dormir, de ver a los amigos. Me parecía que ya estaba todo resuelto, cicatrizadas las heridas, barrida la añoranza de Sergio.

Un día a la salida del cine, acababan de pasar *Viva Zapata* en un Colegio Mayor, le vi entre la gente. No sé si él me vio, pero yo le miré a la cara y tuve que reprimir el impulso de avanzar a saludarle. Por un tiempo centré mis obsesiones en la posibilidad de una conversación con él. Tenía que hacerme la encontradiza en uno de sus lugares y horarios conocidos. Le obligaría a hablar, a exponer con la precisión que empleaba para darme lecciones políticas, las razones que le habían movido a paralizarse no sólo en el momento clave, la entrada de su madre en el estudio, sino después, esa misma noche, al otro día, al cabo de los tres meses que habían transcurrido. ¿Era bastante una sola palabra escrita en una tarjeta? ¿A qué vienen las rosas sin palabras? Mientras no habláramos yo no me quedaría tranquila. «Tengo una amiga que trabaja en la consulta de un psiquiatra», me dijo Margarita. «¿Quieres que hable con ella? Te veo fatal, Juana. Estás peor que al principio...»

Tenía razón. Vivía con la vaga conciencia de que no iba a terminar la carrera en junio. Imaginé lo que me hubiera dicho mi madre en esas circunstancias: «Esto se ha terminado. Tienes que ponerte a trabajar. Ordena tu vida, tus horas, tu descanso.» Obedecí. Renuncié a quiméricas estrategias y volví a la realidad. Para Semana Santa había recuperado el ritmo de los exámenes y había entregado los trabajos atrasados. Durante las vacaciones salí muchas veces con Margarita y algunas con el grupo.

Me recibieron con cariño y un toque de humor que me hizo mucho bien. Emilio trató de animarme hablándome de mi amigo, «el Británico». Margarita le hizo una seña que él no alcanzó a ver. «Tu amigo o tu conocido o lo que sea, el Británico, está hecho un estúpido. El otro día expulsó de clase a un amigo mío por hacerle una pregunta, según él, inconveniente. Pero bueno, ¿adónde van a llegar estos profesoritos tan izquierdosos? Predican libertad y luego se vuelven tiranos.»

«¿Qué pregunta era ésa?», quise saber yo. «Pues algo así como hasta qué punto puede identificarse libertad de acción con independencia económica, en cualquier situación social que se produzca, ¿entiendes? Dice mi amigo que le sentó muy mal porque él, con sus veintiocho años, vive a lo grande en casa de sus padres. Valiente hombre rebelde...» Margarita dijo que eso no tenía que ver y que la verdadera independencia está en la cabeza y etc., etc. Todos participaron menos yo, que me limité a sonreír.

En plenas vacaciones tomé una decisión importante: escribiría a mi madre para contarle toda la historia del principio al fin. Estaba segura de que esa carta ejercería una función de limpieza y equilibrio y me liberaría de la necesidad de fabular que todavía a veces me asaltaba.

La respuesta de mi madre no se hizo esperar.

Era una carta rebosante de amor y comprensión. «Sentiría mucho que en todo esto hubiera algún asomo de frivolidad. Yo no soy frívola, como muy bien sabes. Me tomo en serio casi todas las cosas y, desde luego, los sentimientos. Por eso espero que los tuyos hayan sido también serios; es decir que para ti la relación con Sergio significara algo profundo y auténtico. El dolor por el desengaño que has sufrido puede ser intenso, pero es sincero...»

Al final de la carta me animaba a reflexionar sobre mi futuro. Insistía en recordarme que disponía del dinero de Octavio para continuar estudiando el tiempo que fuera necesario. Me animaba a hacer un viaje por Europa. «Creo que deberías pensar en viajar. Siempre me hubiera gustado enviarte a uno de esos países para que aprendieras otro idioma, pero todo fue difícil cuando eras niña. Si vas ahora a París puedes hacer un curso en el verano, y quizá te interese prolongar tu estancia un curso completo y pensar en el doctorado. Fuera de España aprenderás más, sobre todo aprenderás las formas de vida y el respeto a la cultura de otros países europeos...»

Ésa era la pregunta que yo me hacía a todas horas. ¿Qué voy a hacer en este momento de mi vida? La pregunta seguía sin respuesta a principios de junio cuando terminaron las clases y comprobé con alegría que, a pesar de lo desigual del curso, había aprobado todo. La carrera terminada me obligaba a tomar decisiones. Debía elegir el próximo destino: España, México o la tercera opción que mi madre apuntaba, Francia.

La experiencia española había sido fecunda. Durante unos años había estado en contacto con mi país, había descubierto claves de una cultura que, a distancia, nunca hubiera comprendido del todo. Me había acercado a jóvenes que no se resignaban a vivir para siempre disminuidos por la dictadura. Había tratado de participar, de vivir con mis compañeros la tensión de la rebeldía. La gente que había ido conociendo en distintas circunstancias me parecía generosa, resignada y, a la vez, altiva. Pensaba en mi padre y en la lucha que le costó la vida. Identificaba a mi padre con España, con lo que yo andaba buscando desde que llegué. España era la tierra de mi padre muerto, de mi madre despojada de su escuela y en consecuencia de su hogar; obligada a mendigar trabajo en el ambiente hostil de una ciudad pequeña y envilecida por la mezquindad de unos y el miedo de otros. Pero en España estaban mis orígenes, las raíces de los míos hundidas en las tumbas de los que me precedieron, España clausurada y sin embargo viva.

Y luego estaba México, la tierra abierta, el refugio, la mano generosa tendida a los vencidos. México en la distancia, en la nostalgia que me incitaba a renovar mis ataduras con sus gentes, a respirar de nuevo sus aromas frescos y violentos. México era parte de mi vida. Allí había quedado la mitad de mi infancia, toda mi adolescencia. México me pertenecía y yo pertenecía a México. La hacienda era mi hogar. Una vez más me reconocí víctima de un desgarro, a mitad de camino, en el centro del puente que unía mis dos patrias. Dividida entre México y España me preguntaba: ¿Aquí o allá? Era una cuestión que no podía explicar a mis amigos porque apenas podía entenderla yo misma. En las últimas tardes del curso, cuando ya el verano encendía de rojos y naranjas el oeste de la ciudad y nos derrumbábamos a la busca de una brisa inexistente en el aguaducho de las Vistillas, trataba de acercarles a mis dudas: «¿Cómo me voy a ir ahora», les decía, «cuando todo empieza a moverse, cómo voy a abandonar el barco, la parte que me toca en el riesgo, el compromiso? Es una deserción...»

Quizás imaginaban ellos que el desengaño amoroso tenía que ver con mis vacilaciones. Y no era así. La historia con Sergio influía poco en mis tentaciones de huida y en el dolor de esa huida.

Pero ahora se trataba de mi dedicación profesional y sobre todo de mi vida balanceándose entre dos mundos. La tercera salida, Francia, ampliar conocimientos, conocer un país libre y de un alto nivel cultural, prolongar mi formación universitaria, era indudablemente la más razonable. «Vete a París, hija mía», me decía Emilio. «Disfruta, aprende, ya nos echarás una mano desde allí. Te advierto que hacen falta contactos, embajadas, ya sabes... No vengas con aquello de que prefieres las cárceles de tu país a los hoteles extranjeros... Además, esto está al caer, Juana. ¿Cuántos años han pasado desde el treinte y seis? Date cuenta; estamos en 1954...»

Con su sensatez acostumbrada, intervino Luis: «No te tortures. Hagas lo que hagas, nada es definitivo. Puedes irte y volver. O quedarte y marchar más adelante.»

Me sentí momentáneamente aliviada. Haría una pausa para disfrutar del presente, me marcaría un plazo antes de decidir. Esperaría.

Llamé a Luis y le dije: «Quiero despedirme de todos vosotros en la taberna en que os conocí. Aquella a la que me llevaste el primer día...»

Estaban todos allí, hasta los que se habían retirado de las reuniones políticas. Algunos habían terminado sus carreras y se debatían entre la incertidumbre del presente y el temor del futuro. Teresa estaba a punto de debutar en el teatro.

Margarita, Luis y Emilio parecían tristes. «Mis fieles», les dije con emoción. «Os escribiré y os contaré y volveremos a vernos. Aquí o quién sabe dónde...» Luego brindamos con las claves secretas de la libertad y la esperanza. Algunos clientes solitarios, hombres mayores recostados en el mostrador o dispersos por las mesas, nos contemplaban entre admirativos y críticos. «Ay, la juventud», dijo uno, «qué bonita es y qué poco dura.»

El treinta de junio salí de Madrid. Viajaría a Francia para embarcar rumbo a México, mi siguiente parada, mi apremiante necesidad. Regresada del destierro, necesitaba ahora desterrarme de nuevo. Exilio y regreso y exilio. El inexorable vaivén de los desterrados. Me fui sola a la estación. No quise despedidas ni adioses. Doña Lola soltó unas lágrimas y me entregó un regalo: un abanico negro con varillas doradas.

Cuando hube acomodado las maletas en el compartimiento, me asomé a la ventanilla. El tren se ponía ya en marcha. Un grupo de mujeres enlutadas decían adiós. Tuve la delirante sensación de que se despedían de mí. Las miré fascinada; un grupo compacto, inmóvil. Fueron quedando atrás, cada vez más pequeñas hasta que sólo vi una mancha oscura, un enjambre de manos pálidas y aleteantes. Un grupo de mujeres de negro.

Las Magnolias, agosto, 1993

ÍNDICE